アニメ・マンガ・ゲーム・キャラクターを使った広告・キャンペーン特集

Graphic Design Trend in Japan:

Advertising, Promotional Tool and Packaging featuring Comics and Animation

COMIC MIX DESIGN

Graphic Design Trend in Japan:
Advertising, Promotional Tool and Packaging featuring Comics and Animation

PIE International Inc. 2-32-4 Minami-Otsuka, Toshima-ku, Tokyo 170-0005 JAPAN sales@pie.co.jp
ISBN 978-4-7562-4599-1 C3070 Printed in Japan

目次

CONTENTS

はじめに

本書の制作にご協力を賜りました企業・団体の皆様、デザイナー・クリエイターの皆様、そして各作品の作者の皆様にこの場を借りまして、心より御礼申し上げます。

本書は以下の要素を含む広告や販促、キャンペーン等の優れた事例をポスターや車内広告、新聞広告、パッケージ、CMなどのビジュアルとともに紹介します。

・既存のアニメ作品・漫画作品・ゲーム作品とのコラボレーション
・オリジナルのアニメーション・漫画・キャラクターの創出
・アニメ的・漫画的な表現を取り入れたデザイン

これに加え、ターゲットが“子ども”ではないこと。
そもそも、こうした広告や販促の手法は子どもをターゲットにした商品やサービスに多く見られました。しかし、昨今は20代、30代、40代をターゲットにしたものが目立つようになってきました。目立つ理由は、広告物やCMのクオリティが高いからです。大人の鑑賞に耐える素晴らしく、ワクワクする、心を掴まれるものが増えています。それは、一般企業のみならず、国や地方自治体、公共の団体からの情報発信の手段においても多く見られるようになりました。
若干、話がそれますが、今、日本では公共機関である空港に、アニメや漫画の作品名に因んだ愛称をつけたり（公式に）、歴史と格式を誇る神社がアニメ作品とコラボレーションをしたり（公式に）、地方公共団体の長が自らアニメキャラのコスプレをし、イベントに参加したり（公式に）といったことが普通に行われています。
このように“クールジャパン”が繚乱する、今の日本を反映した広告・販促の時流をアーカイブしたいという思いから、本書の企画・制作に至りました。
読者の皆さまには、まずビジュアルを目で見て楽しんで頂き、その上でクリエイティブの参考に、あるいは何らかのインスピレーションの源となれば幸いです。

編集部

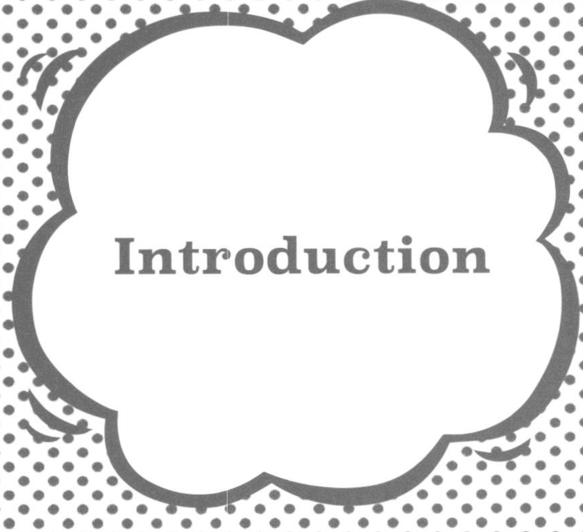
Introduction

We wish to take this opportunity to express our thanks to all the companies and organizations, designers, creatives, and the artists whose work is featured in this book, for their contributions.

Comic Mix Design introduces outstanding examples of advertising, marketing and campaigns that contain the elements listed below, together with their visuals including posters, transit advertisements, newspaper advertisements, packaging and TV commercials.

- Collaborations with existing works of anime, manga or game
- Creation of original anime, manga or characters
- Design that incorporates anime or manga-type expression

Another element in addition to the above is that the target audience is not young children.
The advertising and marketing techniques described above are frequently used for goods and services where the target audience is children. However, in recent years, advertising and marketing aimed at people in their 20s, 30s and 40s have become more prominent. The reason is that these advertising materials and commercials are of a high quality. Wonderful examples of advertising that appeal to, excite and capture the imagination of grown-up audiences is on the increase. This can be seen, not only in corporate advertising but also in the way which national and local government and public organizations disseminate information.
Deviating slightly from the subject, airports, which are publicly-run organizations in Japan, have been given an official nickname derived from a work of anime or manga; shrines with a long history and of great prestige have officially partnered with works of anime; and a head of local government involved in cosplay with his own anime character has participated in events. These kinds of things are now part of the norm.
This has all led to the planning and production of this book, based on the idea of archiving what is currently happening in the world of advertising and marketing that reflects Japan as it is at this moment, that is, Cool Japan in full swing.
Our aim is firstly for readers to enjoy perusing the visual materials in the book and then to use it as a creative reference, a source of inspiration for their creative projects.

The editors

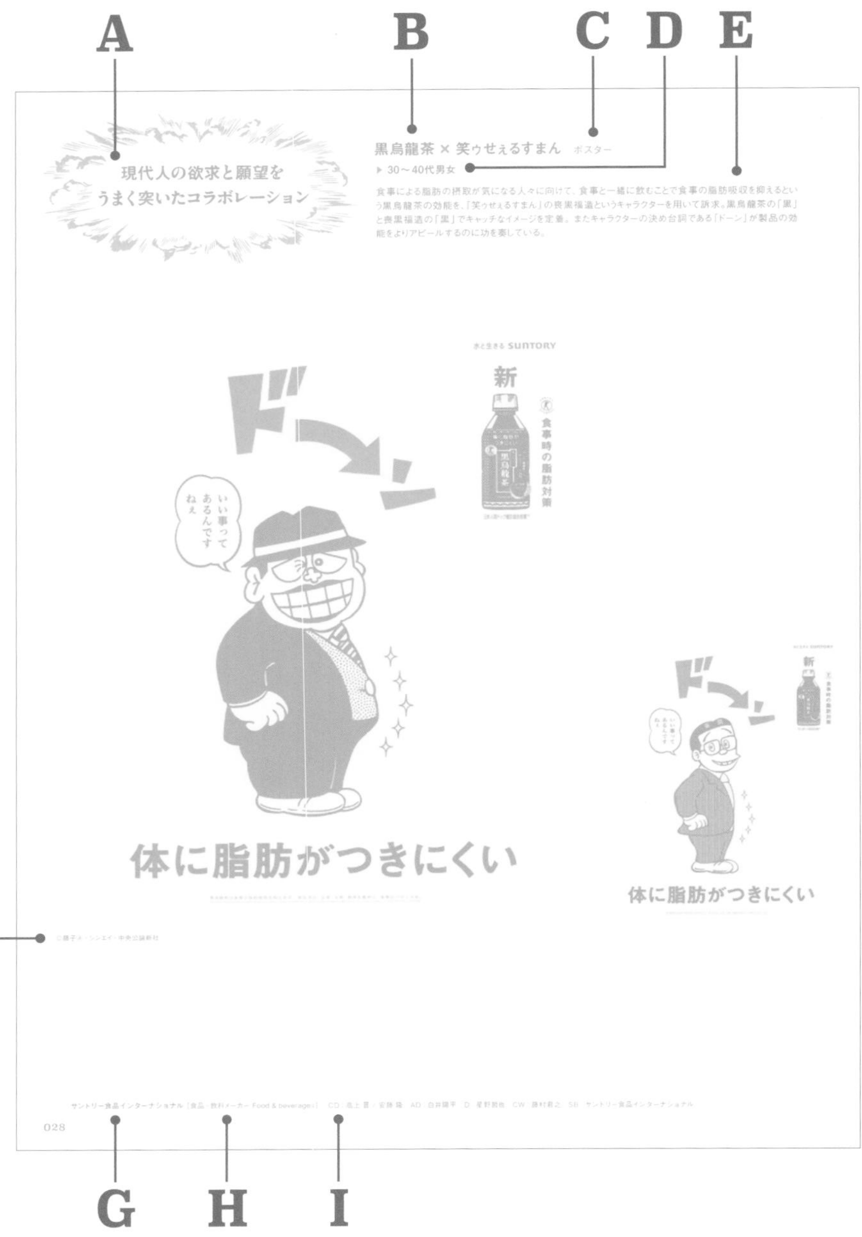

A. 作品説明の見出し

B. 商品名またはキャンペーン名、イベント名など × 起用したアニメ・漫画・ゲームの作品名　※オリジナル作品の場合は記載なし

C. 掲載作品の媒体名

D. ターゲット

E. 作品説明

F. コピーライト表記

G. クライアント名

H. クライアントの業種（和文 / 英文）

I. 制作スタッフクレジット

略称は以下のとおり、以下にない肩書きは略さずに記載。

CD：クリエイティブ・ディレクター
AD：アート・ディレクター
D：デザイナー
I：イラストレーター
CW：コピーライター
P：フォトグラファー
DF：デザイン事務所
AE：アカウントエグゼクティブ
PL：プランニング
CG：コンピューターグラフィックス
MA：音声編集
SB：作品提供者

※本書掲載作品に関しては、現行の商品・サービス・催事とデザイン・内容が異なる場合、および、すでに製造・販売・催しが終わっている場合があります。デザインを紹介する書籍なので、その点は予めご了承ください。

※特段の事情のある場合をのぞき、企業名・団体名などに付随する法人格、株式会社（株）、有限会社（有）は省略して記載しています。

※作品提供者からの意向により、掲載情報の一部を記載していない場合もあります。

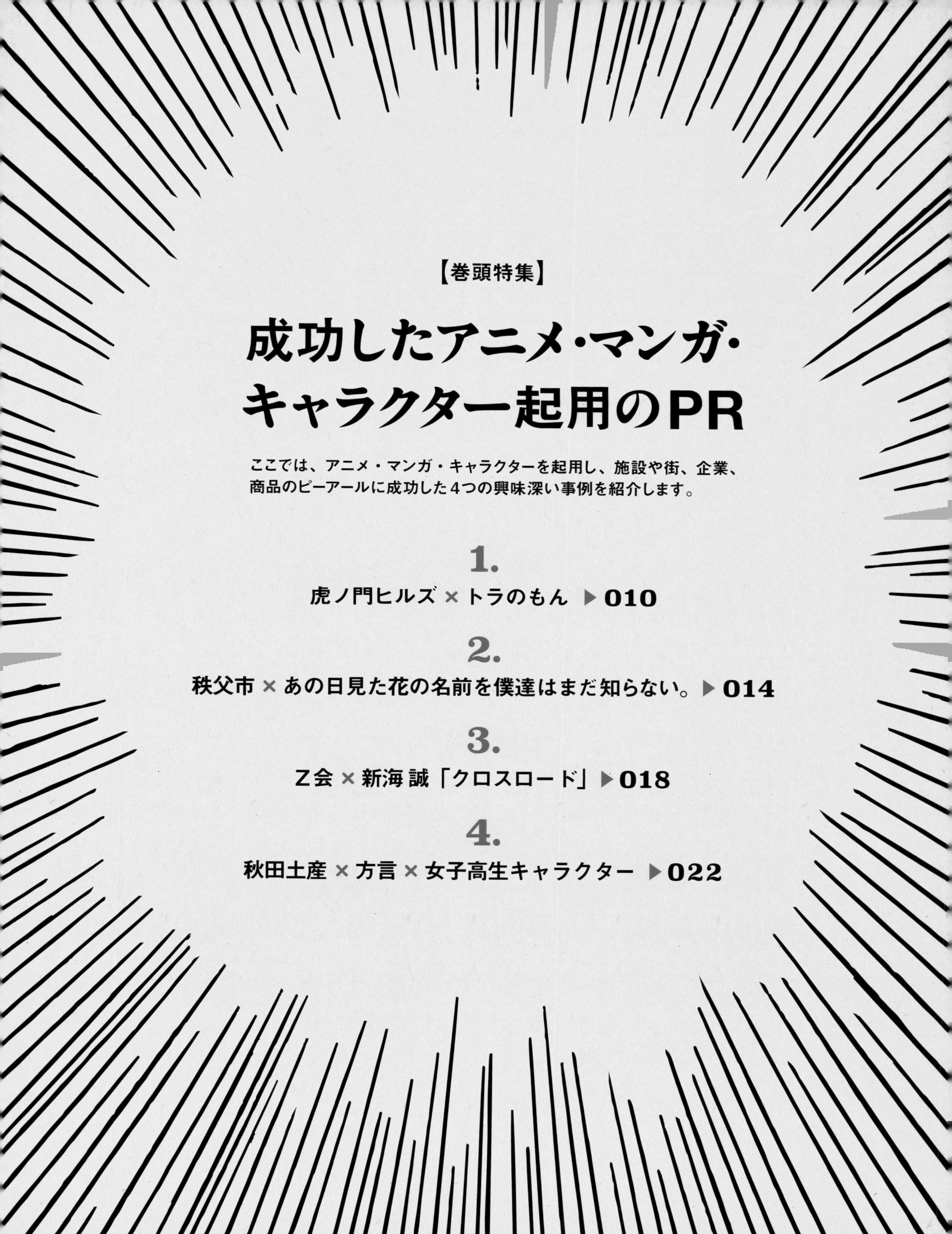

【巻頭特集】

成功したアニメ・マンガ・キャラクター起用のPR

ここでは、アニメ・マンガ・キャラクターを起用し、施設や街、企業、商品のピーアールに成功した４つの興味深い事例を紹介します。

“ドラエもん”に非ず(あら) 虎ノ門ヒルズ“トラのもん”は いったい何者なのか？

虎ノ門ヒルズ × トラのもん

森ビルが手がけた、東京の新しいランドマーク「虎ノ門ヒルズ」
六本木ヒルズ、表参道ヒルズとともに東京を代表するランドマークになっている。ここに集う観光客やビジネスマンの注目を集めているのが、虎ノ門ヒルズのキャラクターである「トラのもん」
インパクト抜群なキャラクターであることは一目瞭然。
どういった経緯でこのキャラクターになったのか？
詳しい話を森ビル担当者に伺った。

新聞広告

虎ノ門ヒルズの認知を目指すキャラクターに

虎ノ門ヒルズは、各種ショップ、レストランからオフィス、ホテルなど多機能を備えた、国際的大都市東京を象徴する最先端のスポットだ。

その虎ノ門ヒルズを広く認知させるためのキャラクターとして作られたのが、トラのもん。見た目は日本国民であれば誰もが知っている、ドラえもんにそっくり。「Hello, Mirai Tokyo! 未来の東京はここからはじまる。」というキャッチコピーを象徴するキャラクターである。

トラのもんは、みんなと一緒にワクワクできる東京「Mirai Tokyo」をつくるために、未来からタイムマシンに乗ってやってきた。「虎ノ門ヒルズで、世の中をイノベーションしてたくさんのアイディアを形にするのが、トラのもんの役割です。」と森ビル タウンマネジメント事業部の家田玲子さんと上田晃史さんは語る。さらに「ビジネスエリアである虎ノ門地域が、国際新都心に生まれかわり、ここから未来の東京をつくっていくということをみなさんに知ってもらいたい。それには、インパクトのある仕掛けをする必要がありました。」と。そういった意味ではトラのもんのイ

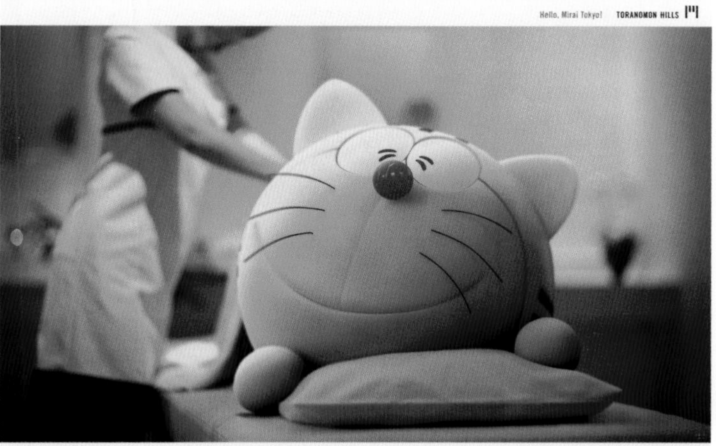

ポスター

トラのもん ポーズ資料

◆ トラのもん

22世紀のトーキョーからタイムマシンに乗ってやってきたネコ型ビジネスロボット。みんなと一緒に「Mirai Tokyo」をつくるためにやってきた。

ンパクトは間違いなく絶大である。

インパクトは大だけど…実現の可能性を探る

「確かにインパクトは抜群だけれども、実現可能なのだろうか？」という不安が大きかったが、藤子プロに相談をしたところ、許諾が得られ実現の運びとなった。22世紀の未来から来た猫型のビジネスロボットという設定がされており、ドラえもんと同じ工場で作られたことがわかっているものの、具体的にどういった仕事をするロボットなのか？ など、詳細なプロフィールは現在のところ、謎とされている。わかっているのは、あらゆることをイノベーションするため、未来の東京に向けた活動をするということだけである。

CGと実写の違和感をなくすため試行錯誤を繰り返す

ではこのキャラクターの色やデザインなどの具体的な部分はどうやって設定されたのであろうか？ 白を基調としたボディーは「白虎をイメージしています」とのこと。頭や腕に入っているラインは虎ノ門ヒルズのロゴである４本のラ

◆ **虎ノ門ヒルズ**

東京都港区虎ノ門に、2014年6月に開業した地上52階建て、高さ247mの超高層複合タワー。オフィス、住宅、ホテル、カンファレンス、店舗を擁する。森ビルが開発・運営を行う。

建物の内外でも「トラのもん」が活躍。 上段左：エントランス前フラッグ／上段右：オブジェ／下段左：エスカレーター添い壁面／下段右：案内板

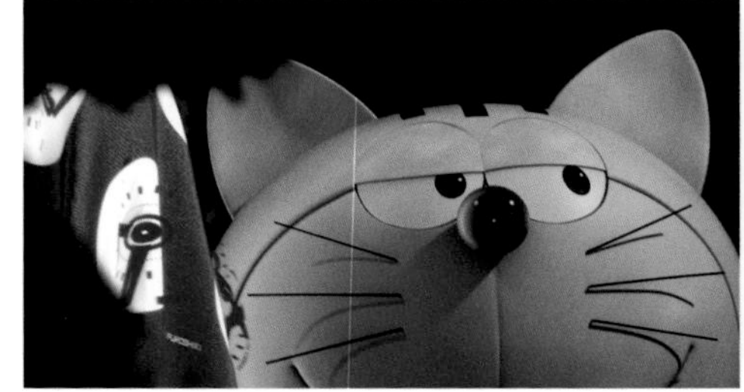

CM

インからきている。ロゴマークと同様に、虎ノ門ヒルズのキャラクターとして、多くの人に認知され長く愛されていくことを考えてデザインされたのである。その他、ドラえもんとの見た目の違いは「長いしっぽ」と「耳」。やはりこれも「虎」をイメージしているためとのこと。

もうひとつ苦労したというのが、CGであるトラのもんと実写の画像、映像との組み合わせ。背景や人物もCGで作ってしまえば違和感はなくなるのであろうが、実写と組み合わせるとキャラクターとのあいだに生じる隔たりが気になった。そのため「トラのもんと実写の虎ノ門ヒルズをそれぞれ切り離したビジュアル展開も考えていた」そう。しかしやはりトラのもんと虎ノ門ヒルズや周辺地域の写真が組合わさっていたほうがより本来の目的に近く、見た人に伝わりやすいと考えたため時間をかけて違和感がなくなるよう試行錯誤を繰り返した。

好評を受け、今後の展開を模索する

現在のところ、トラのもんに関する評価は上々。ネットでは好意的な意見が多く、あまり否定的な意見は耳にしていないという。グッズ関連（オフィス街なので、オフィス用品が中心の品揃え）の売り上げも好調だそう。「観光地ではなくビジネスエリアなので、グッズがそれほど売れると

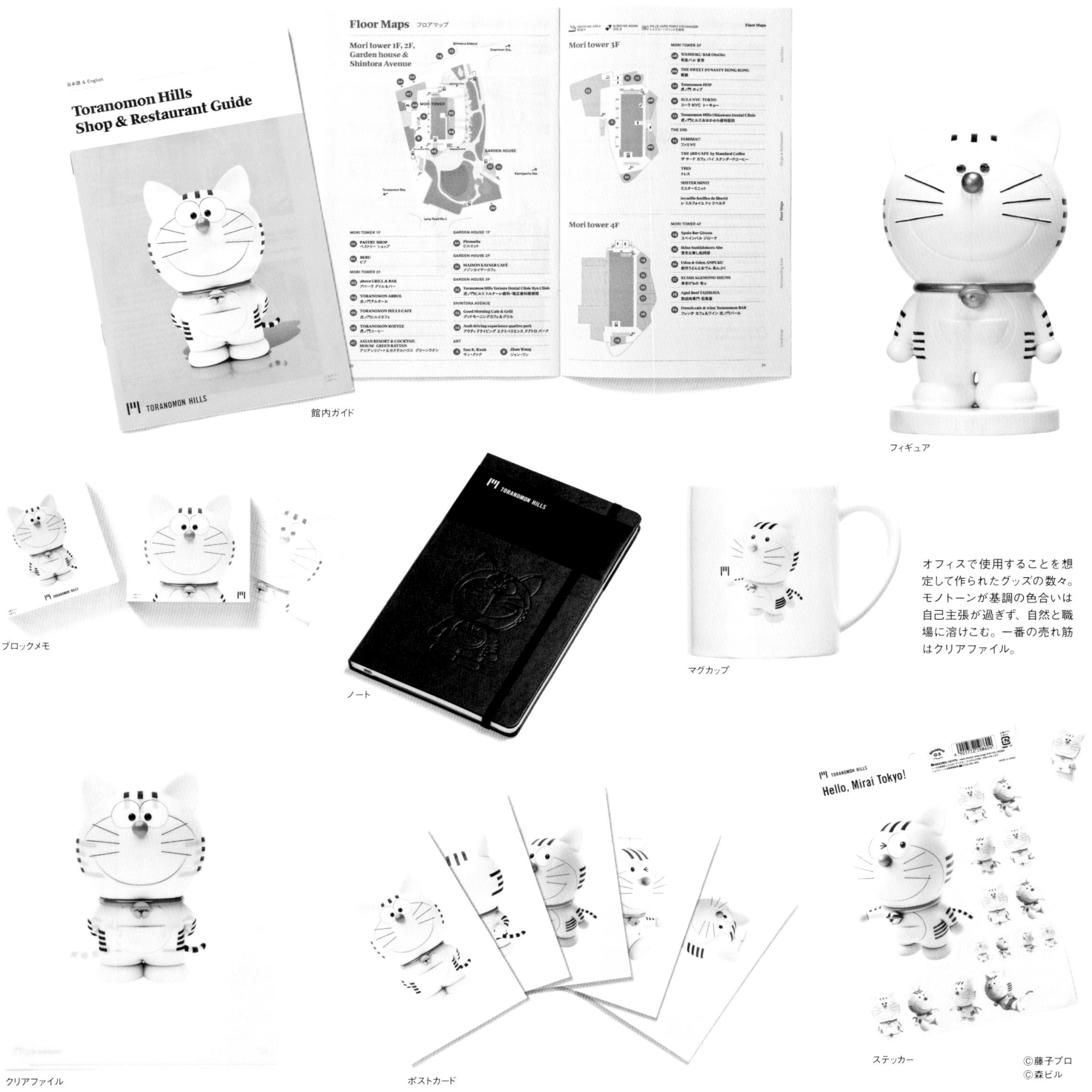

館内ガイド

フィギュア

ブロックメモ

ノート

マグカップ

オフィスで使用することを想定して作られたグッズの数々。モノトーンが基調の色合いは自己主張が過ぎず、自然と職場に溶けこむ。一番の売れ筋はクリアファイル。

クリアファイル

ポストカード

ステッカー

は考えていなかった」とのことだが、キャラクター自体の魅力がじゅうぶんに伝わっていることがわかるエピソードだといえよう。虎ノ門ヒルズに設置されているトラのもんのオブジェは写真に収める人が多く、キャラクターの持つ力が尋常ではないことがうかがえる。

特に驚いたというのが外国人の反応。「オープニングの日にお客様のご案内対応をしていたところ、オーストラリアの方がこれを見るために来たと言っていたんです。外国の方にも認知されるほど、このキャラクターには波及効果があるんだなと実感しました」

現在、これからどういった形でキャラクターを使用したPR活動を展開していくのか検討されている。「虎ノ門ヒルズ周辺で開発が進んでいく中で、トラのもんがどのように活躍していくのかご期待ください。」とのこと。これからどういった形でみんなを楽しませてくれるのか、キャラクターの活動だけではなく広告展開の手法にも注目が集まる案件である。

文・竹下 琢

作品の力を借りて地域を振興する「あの花」秩父アニメツーリズムはこうして成功した！

秩父市×
あの日見た花の名前を僕達はまだ知らない。

多くのアニメファンから根強い支持を得ている『あの日見た花の名前を僕達はまだ知らない。』という作品がある。その舞台になったのは埼玉県秩父市。いまその秩父市でアニメと関連したさまざまな地域振興の試みが行われている。元々、観光地であった秩父市がアニメとのコラボを行うようになったのは、何がキッカケだったのか？秩父市役所観光課（秩父アニメツーリズム実行委員会事務局）の中島 学さんに話を伺った。

秩父札所午歳総開帳ポスター

ファンから好評を得るアニメツーリズムとは？

アニメやドラマ、歌などで舞台となった土地を実際に訪れて、作品に思いを馳せる。そういった旅をする人が昔から多くいる。最近ではNHK連続ドラマ小説『あまちゃん』の舞台になった岩手県久慈市に観光客が押し寄せ話題になったことを覚えている人もいることだろう。そしていまそういった土地のなかで注目されているのが埼玉県秩父市。アニメ作品の舞台となったことで、ファンが訪れるようになり観光客が増えている。

その作品『あの日見た花の名前を僕達はまだ知らない。』（「あの花」と略されている）は深夜放送枠であるにも関わらず、高い視聴率を記録し、Blu-rayの売り上げも好調なアニメである。作品中には実在する建物、風景が多く登場している。そして秩父市はじつにうまくこのアニメを地域振興“アニメツーリズム”につなげており、訪れるファンからの評価が高い、サービスを提供する側、される側双方が満足のいく「win-win」の結果を残している。

地元の理解とファンのマナーに助けられ

アニメが放送されたのは2011年。それから4年間秩父市は、作品を活用した地域振興“アニメツーリズム”を続けている。しかし秩父市役所産業観光部 観光課（秩父アニメツーリズム実行委員会事務局）の中島さんによると「これほど長く活動するとは当初は考えていなかった」そう。もともとは作品の製作中に秩父を舞台とするアニメが作られているという情報を得たことから、

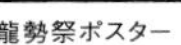
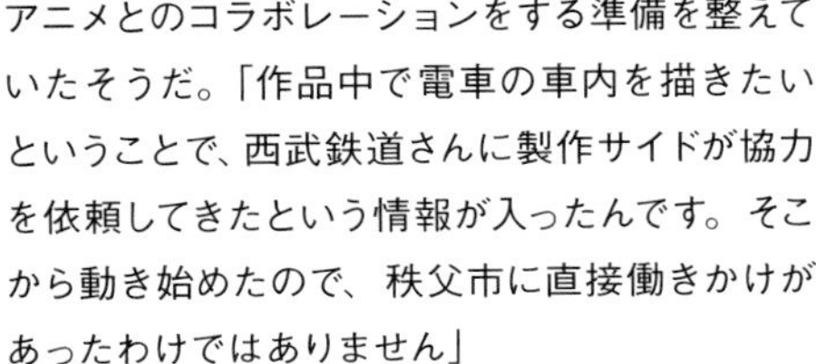

©ANOHANA PROJECT

龍勢祭ポスター

十七番札所実正山定林寺

旧秩父橋

龍勢祭

奉納金を納めるともらえるステッカー

左ページポスターは「あの花」のキャラクターを使い、12年に一度の秩父札所午歳総開帳を告知したもの。背景に描かれている十七番札所実正山定林寺は、作中の主要な舞台の一つ。右ページのポスターは椋神社例大祭で行われる付祭「龍勢祭」のもの。「龍勢」は轟音とともに天高く打ち上がるロケットのような花火で、「あの花」ファンにとっては、その単語を聞くだけで目頭が熱くなるほど、作中の超重要な要素となっている。平成26年には、全国のファンより奉納金を集い「あの花龍勢」として1本を打上げた。次ページ商店街フラッグの背景にもなっている旧秩父橋は、作品のキービジュアルとしてファンが必ず訪れる場所になっている。

アニメとのコラボレーションをする準備を整えていたそうだ。「作品中で電車の車内を描きたいということで、西武鉄道さんに製作サイドが協力を依頼してきたという情報が入ったんです。そこから動き始めたので、秩父市に直接働きかけがあったわけではありません」

そこから地元の人たちに作品の内容やこれからどのように地域振興につなげていくのかを説明したところ、もともと観光産業がとても盛んな土地でもあることから、すぐに理解が得られた。「観光客が増えると飲食店や土産物を扱う店舗は直接的なメリット（売り上げがあがる等）があります。しかしそれ以外の業種の方もこういった活動によって、より秩父が認知されてほかのイベント、お祭りなどにも波及効果があるということに理解を示してくれました。作品で大きく取り上げられている場所もあれば、そうでない場所もある。だからといって大きくは扱われていない場所でもポスター等の掲示を断わられることもなく、快く協力してくれています」

また中島さんが驚かされたというのが、訪れるファンのマナーの良さ。ゴミを放置したり異常な騒音を発するといった、観光客が増えることで懸念されるデメリットがほとんど発生していない。『あの花』の聖地を汚さないという、作品に愛情を持った人たちの節度ある行動。それによって次になにかイベントをやるときにも、多くの賛同者が生まれる。往々にしてあるファン自身が自らに足かせをはめるようなことが、秩父では起こっていないのである。そのため龍勢祭のような伝統があるお祭りでさえもが、ポスターにキャラクターを使用したり全面的に協力している。地元の理解の深さには驚かされるばかりだ。

商店街フラッグ

地元の理解・協力のもと、西武秩父駅の仲見世通りをはじめ、市内各所に飾られているフラッグ。ファンに作品の聖地を訪れていることを実感させる重要なアイテムとなっている。

あの花オフィシャルマップ「めんまのおねがいさがし in ちちぶ」

作品のシーンカットとともに、作中に登場した場所を紹介したマップ。既に15万部を配布している。現実の場所が、ほぼ作中そのままであることに、訪れた多くのファンが感動する。

ファンをがっかりさせない イベントを模索

とはいえファン心理は、それぞれのこだわりや思い入れがあるために複雑なものである。よかれと思って行ったことがファンの不評を買うこともある。秩父で行われるイベントや仕掛けはすべて中島さんが中心になって考えている。それだけに苦労も多い。

「ファンの方がどういうものを喜ぶか、それを考えるのは大変です。実際来てイメージと違う、作品を台無しにしていると感じることがないよう、できるだけ作品にでてくる秩父の街、ありのままの秩父の街を見てもらおうと考えています」

ほかの地域でよく見られるのは、作品のキャラクターを銅像にして街中に飾ったり、ヒット曲であれば記念碑を建てたりするものだが、そういったことも上記の理由「作品にはでてきていない」ということから、現在のところは考えていないそう。だからといって各地域になにも対策を施していないわけではない。「めんまのおねがいさがし in ちちぶ」という冊子を作成し、全体Mapからどの場所が、アニメのどのシーンででてきたかが詳細に記されている。それぞれのシーンカットも載せられているので、実際の場所とアニメの絵を比較しながら聖地巡礼が楽しめるという方式だ。ファンにはたまらないであろうし、ファンではない人もただ街を廻るよりも興味深く散策できるのではないだろうか。

これらのイベント、仕掛けが効果的である証

あの花サイダー&ラムネ

秩父源流水×あの花

◆「あの日見た花の名前を僕達はまだ知らない。」

2011年4月～6月にフジテレビ・ノイタミナ枠他で放映された。完全オリジナルアニメーション。全11話。A-1 Pictures制作、監督・長井龍雪、脚本・岡田麿里、キャラクターデザイン・田中将賀。引きこもり気味の主人公の高校生「じんたん」の前に、幼馴染みだった少女「めんま」が突然現れ自分の願いを叶えて欲しいと頼む。めんまの願いとは何なのか？ 疎遠になっていた幼馴染みたち4人とめんまの願いを叶えるため奔走する青春群像劇。全編がほぼ秩父を舞台に描かれている。

あの花ぷるぷるゼリー

西武秩父駅の仲見世通りなどで販売されているグッズ。バリエーションに富んだラインナップが用意されている。こうしたグッズはアニメ製作会社との信頼関係が築かれているからこそ実現したものだ。

イベントノベルティ（非売品）

クリアファイル

ゴーフレット

秩父夜祭花火大会（あの花スターマイン）で新作が告知された翌日、新聞の折り込みという形で、地元の人々に配布されたチラシ。

◆ 秩父アニメツーリズム実行委員会

アニメコンテンツを活用した観光振興、地域活性化を図るため誘客事業（PR）・街かな回遊事業を実施する団体。秩父市観光課・商工課、秩父観光協会・秩父商工会議所等を含む10団体で構成されている。もともとは、2010年に「銀河鉄道999 in 秩父」イベントを開催するために発足した。同年末に、「あの花」の放映情報を得、放映終了後に作品の舞台として地域・観光振興を始め現在に至る。

平成25年度事業 一例

4月20日～	「あの花」聖地巡礼マップ第3弾 配布開始
4月20日～5月6日	2013 "春"『あの花』スタンプラリー in 秩父　第1弾「あの花×芝桜 ～めんまとお花見会～」
5月7日～6月30日	第2弾「あの花×ちちぶ ～超平和バスターズの街なか散歩～」
7月19日～9月30日	「あの花夏祭2013 in 秩父」第1弾、第2弾
7月19日～8月7日	第1弾「あの花」聖地七夕まつり2013 ～超平和バスターズの願いよ ふたたび～
8月1日～9月30日	第2弾「あの花」聖地巡礼キャンペーン ～じんたんTシャツを集めろ!～　他、34事業実施

拠となっているのが訪れる人の数である。2011年に開催された「あの花」in 秩父キャンペーン（聖地七タイベントと聖地巡礼イベント）では計5363人の来訪があり、そのうち56.8%が初めて来た人。もともと有名な観光地であるから、新規の観光客をさらにこれだけ呼びこめているというのは、すごいことだとわかるのではないだろうか。

各種イベントのなかで特に印象深かったというのが、2011年に行われた「ANOHANA FES.」。作品に出演している人気声優も参加し、とても盛りあがったイベントである。しかし5000人規模の会場を使用したイベント、ましてやプロのイベンターでもない中島さんにとって並大抵の苦労ではなかったそう。「制作側と聖地秩父が一つになり大規模なイベントを成功できました。当日の熱狂ぶりや「あの花」に染まった街なかの様子を思いだすと、大変ではあったけれども全国から来てくれたファンに喜んでもらえたという喜びが勝ります」と語る中島さん。

ファンの方に喜んでもらいたい、ひいては地元秩父を多くの人に知ってもらいたいという地元への愛情があれば、苦労は厭わない。そういった担当者の熱い思い、そして自分の好きな作品の舞台を絶対に汚さないというファンの愛情。「作品に関連した地域振興とはかくあるべし」といった理想型を見せているのが、現在の秩父アニメツーリズムなのである。

文・竹下 琢

オリジナルアニメCMが増加する中 通信教育のZ会が目指した企業イメージCMとは？

Z会 × 新海 誠「クロスロード」

**誰もがその名前は耳にしたことがあるであろうZ会。
そのZ会のCMが話題を集めている。
オリジナルアニメであるそのCMはアニメ自体の
クオリティの高さもさることながら、
「なぜZ会がこのようなCMを?」という点でも多くの人から注目されている。
一般的な教育系のものと一線を画するこのCMは、
どのような目的で作られ、なぜこのような形になったのであろうか?**

CM 120秒 Ver.

◆「クロスロード」120秒 ver.

ストーリー：東京の大学に進学するべく勉強に励む離島暮らしの海帆(みほ)。都会でアルバイトをしながら進学を目指す翔太。境遇も違い、もちろん出会ったことのない2人だが、同じ大学の同じ学部を目指している。共通するのは、Z会の通信教育を利用していること。桜の咲く季節、合格者発表を見るために大学へと向かう。そこで初めて2人は出会い人生はクロスする。

脚本・絵コンテ・演出：新海 誠、キャラクターデザイン・作画監督：田中将賀、制作：コミックス・ウェーブ・フィルム

中高生向けだからアニメ、という発想はなかった

国内外のアニメファンから高く評価されているCMがある。「クロスロード」というタイトルがついたその作品。一見すると、特になにかを薦めているわけでもなく、企業の名前が前面にでてくるわけでもない。インターネット上でも「これはいったいなんのCMだ?」と騒がれていたが、このCMは通信教育で有名なZ会のもの。

Z会のような業種のCMといえば、有名な進学校への合格者数などを明示し、講師のていねいな指導や行き届いた補助体制をアピールするものがほとんど。「これだったら学力が上がりそう」と保護者や生徒にイメージづけるのが一般的である。しかし「クロスロード」のなかにはそういった描写が見られない。ではなぜZ会はこのようなCMをしかもアニメで作ることにしたのであろうか？　Z会マーケティング部の石川鉄男さんと伊豆蔵善史さんに話をうかがった。

そもそも「クロスロード」は顧客誘引のため、商品の販売促進目的のために作られたのではなく、企業イメージを告知するためのCMだという。これまでに放映されていた同様のCMが作られたのが、ずいぶん前で古くなっていたこともあり、新たに企業イメージCMを作成することになったとのこと。しかし作成が決定するのには意外な経緯があった。

最近ではアニメを使用したCMやアニメのキャラクターを実写化したCMが多く見られる。

海の美しい離島暮らしの海帆

都会暮らしの翔太

自転車で通学する毎日

2人ともZ会の通信教育を利用し、同じ大学、学部を目指している

2人の回答はなぜか似ていると気付くZ会の添削者

添削者からの「イイ回答！」のメッセージがうれしい

試験本番を迎える。そして合格発表の日、偶然に出会う2人

TOYOTAがドラえもんを使用するなど、世界的な企業さえもアニメのコンテンツに着目してCMを作成している。

しかしそういった時流に乗ったわけでも、「中高生にアピールできるようにアニメにしよう」という狙いがあったわけでもない。新海誠監督のつくりだす作品そのものに惹きつけられていたそうだ。「特に『秒速5センチメートル』の世界観が当社のイメージと合うと感じたので、なにかいっしょにお仕事ができるといいですね」という話をしていたそう。つまり最初から「CMをアニメで作るぞ！ 新海監督にお願いしよう」ということではなく、自社のイメージと合致する世界を作りだすクリエイターとなにかいっしょにやりたいというところからスタートしたというのだ。

新海監督の世界感に惚れ込み 全てを任せる

製作がスタートしてからは驚くくらいスムーズに作業が進んでいったそうだ。Z会側が監督に伝えたのは「最後のシーンで合格して桜がでてくるようなイメージにしたい」ということだけ。新海監督はその希望を念頭に置いてストーリーを作成し、詳細な絵コンテを提示してくれたそうだ。そしてその提案はほぼZ会が求めているものであった。

あたりまえのことだが、多少のイメージのずれや「もっとこの部分をこうしたい」という希望はでてくるものである。しかし「新海さんのことを

※レンズ処理 マスク切って撮影にて

海帆（みほ）【夏服・表情】

メガネあり

カゲ
アホモ タタめ
カバン ウラ
Hi 4つ
虹彩
ロング
Hi:2コ
マツゲ 普段2本
このサイズ Hi:3コ
くまマーク 色トレス 両側
ゴム2本
くまストラップ
立体です
色トレス
カバン 表

決定稿
2013.12.31

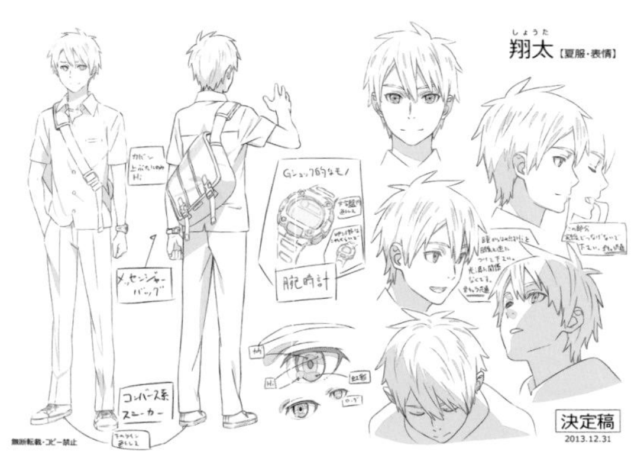

キャラクター設定資料

人物の特徴だけではなく、持ちものや机の上に置いてあるものなど、とても細かく考えられていることがうかがえる設定資料。特にこだわりが感じられるのが目に関する設定。瞳の光り方やまつげの数などが決められていて豊かな表現を可能にしている。

信頼してオファーをだしたのだから、すべてお任せしよう」と会社側の希望を言わなかったそうである。それだけ監督を信頼していたのは、世界観に惚れ込んだのもそうだが事前に綿密な打ち合わせを繰り返し、監督がすごく思い入れを持って製作に臨んでいることが伝わってきたからだ。

とはいえ企業が放送するCMである以上、どこかにZ会の会社としてのアピールポイントを入れなければいけない。そうでなければただのアニメ作品になってしまう。ヒロインの海帆に対して先生が口にするセリフ「ここは塾もないしなぁ」というのがそれに該当する。要するに塾がない環境、家庭教師が頼めない環境……そういった必ずしも受験勉強をするという観点からすると恵まれていない環境であっても、Z会の通信教育を利用することが、自分の希望する学校への進学の一助になるということだ。しかしこのシーンに関してもZ会側から希望をだしたわけではなく、新海監督が自発的に入れてきたものである。おそらく新海監督が考えるZ会の企業としての役割はこういった受験生の助けになることだということなのではないか。

クオリティが高ければ自然と集まる注目

また作品全体に言えることではあるが、この場面を観てもいわゆる商業主義的なCMの匂いがいっさいしない。あくまでも自然に作品を彩るシーンとしか映らない。このさりげない演出こそ

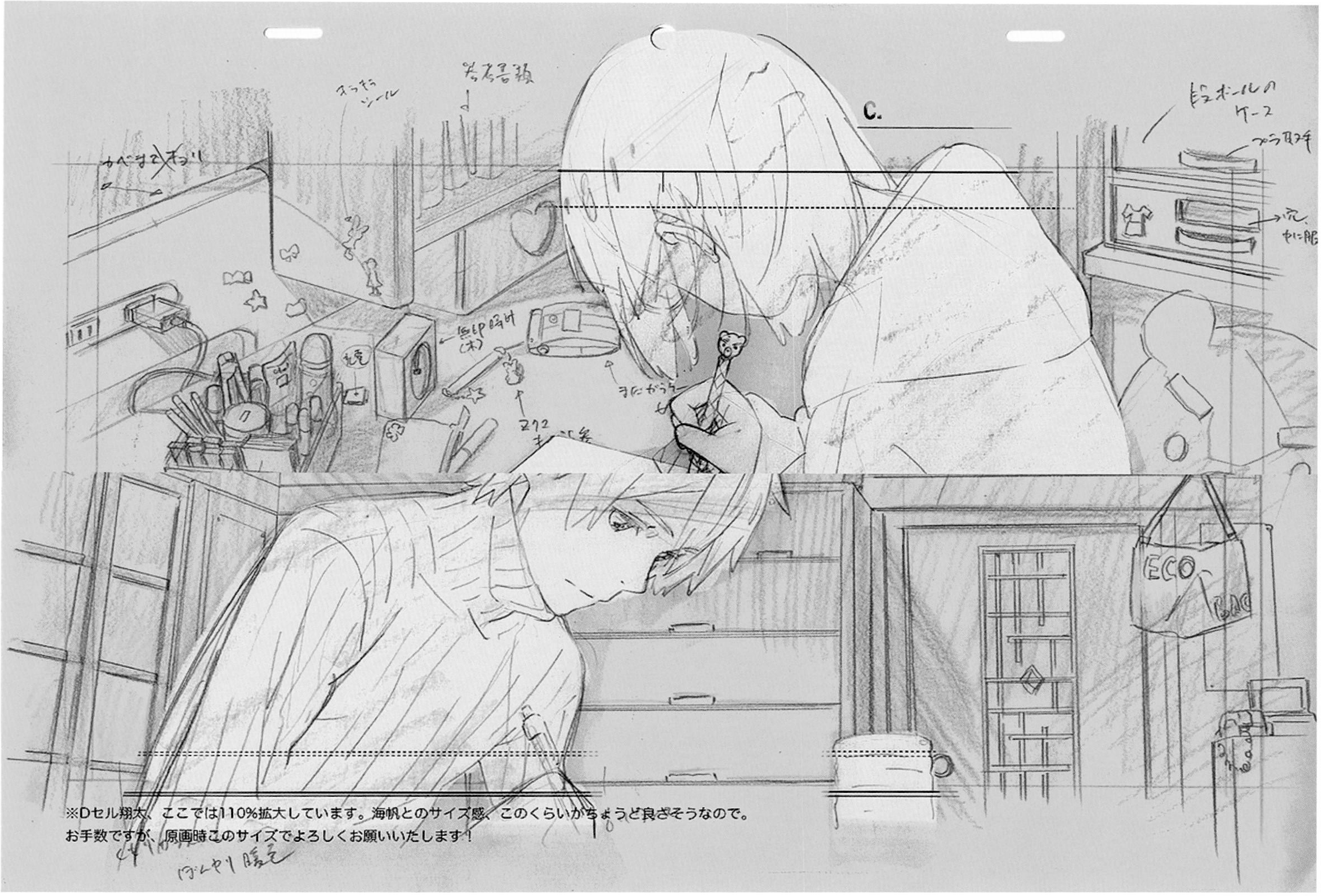

※Dセル翔太、ここでは110%拡大しています。海帆とのサイズ感、このくらいがちょうど良さそうなので。
お手数ですが、原画時このサイズでよろしくお願いいたします！

レイアウト資料

CMからの発展として、静岡県三島市にあるZ会のビルに併設されている「大岡信ことば館」にて展覧会が開催された。「クロスロード」をはじめとした、新海監督作品の絵コンテや原画などが紹介され、大盛況のうちに幕を閉じた

Z-KAI

◆ Z会

通信教育、教室、出版など教育関連の事業を幅広く手がける、教育事業のパイオニア。ただ志望校に合格するのではなく、将来的にも活用できる「真の学力」の養成をモットーに、全国の学生を力強くサポート。

が新海誠というクリエイターの懐の深さが垣間見える部分である。

「クロスロード」を観るとわかることだが、一つひとつのシーンがとても細かく描写されている。答案用紙に解答を書き込もうとするときに少し紙が沈むような感じ、御茶ノ水駅のホーム、Z会の添削者が採点しているシーンでのビルの窓から見える富士山……その情景を知る人が観たら嘆息をもらすような精密な描写がされている。そのような細かくリアルな描写が可能になったのは、現場に足を運び風景を綿密にリサーチするという地道な作業があったからこそ。

リアルにこだわり、過剰な演出を使わず、何気ない日常のひとコマを使って構成されていく「クロスロード」。作品自体のクオリティが高いのはもちろんだが、企業が提供するブランドイメージ普及のためのCMとして、業界に一石を投じる作品になっているのではないだろうか？　それというのもしっかりとした考えのもと、クオリティが高い作品を作れば、おのずと注目が高まることが証明されたからだ。石川さんは言う。「ほとんどの場合、感想はSNSやWebで書き込まれたものを見て把握しているので、あまり保護者や生徒さんの生の声を聞くことはありません。しかし関係者周辺、たとえば関連会社に勤めている人の奥さんが話題にしていたというような話を聞くと、認知されているんだなと実感できますね」。

続編や長編の作品を待ち望む声が多いのも納得のCMである。

文・竹下 琢

女子高生キャラ＋秋田弁。秋田発 話題のお土産はこうして生まれた！

秋田土産×方言×女子高生キャラクター

制服を着て秋田弁を話す女子高生キャラクター。
そんなかわいい女の子たちが描かれた秋田のお土産物が話題となっている。
「秋田弁！プリントクッキー」は発売から10ヶ月で1万個を売り上げ、
「秋田弁！単語カード」は、発売1年で1万部を売り上げた。
販売エリアは、いずれも一部のネット販売などを除き、ほぼ秋田県内のみ。
この限られた地域で、この売り上げは注目に値する。
この方言＋女子高生キャラを生み出したstudio at-take代表の
こばやしたけしさんに、この話題のお土産についての話を伺った。

◆ 秋田弁！プリントクッキー
キャラクターはWEBで連載をした「あきた4コマち」の登場人物たち。
企画／販売元 あすなろ舎 10枚入り 648円（税込）

4コマ漫画ブログからのスタート

このお土産物に描かれているキャラクターたちは、こばやしさんが立ち上げた4コマ漫画のブログ「あきた4コマち」の登場人物だ。2007年にブログをはじめたきっかけは、秋田について知ってもらいたいという思いからだったという。その背景には、いちど生まれ育った秋田を離れて県外で暮らし、外から秋田を見て他県とのギャップを経験したこと。そして、秋田に戻り結婚し子育てをするうちに、地域社会との関わりが増え社会性がでてきたことがある。ただ、言葉だけで発信しても、興味を持ってもらえないと考え、秋田の地名に因んだ名前の女子高生のキャラクターたちが登場する4コマ漫画を描くことにした。家業の仕事をしながら、日々、思いついたことをメモして少しずつネタをためて描きはじめたそうだ。

こうして、ブログが少しずつ評判になりはじめた2010年に、ブログをまとめた書籍「はじめての秋田弁 — 爆笑四コマわっぱが物語」（無明舎出版刊）を刊行した。この書籍を見た、県外のキャラクターグッズなどを製造する業者から、キャラクターを使用した土産物の開発の話が舞い込んだ。そこで、こばやしさんも一緒に参加し、開発した商品が「秋田弁！プリントクッキー」だ。「へば！」「さいっ！」など秋田弁を話すキャラクターがプリントされている。これが、先にも述べたとおり、2012年の発売から約10ヶ月で1万個を売り上げるヒット商品となった。ヒットにつながった要因をこばやしさんは、「秋田ではそれまで、あまりなかったキャラクターを使ったものだったから」、そして「お土産として買って帰った後にも、コミュニケーションが生まれるところではないか。」と。ふつうのお土産菓子は、職場などで配っても食べたら終わりだが、「秋田弁！プリントクッキー」は配ったときに、「へば！」って何？など会話が生まれるということだ。かわいいキャラクターの見た目で引き付け、買った後にもコミュニケーションが生まれるという仕掛けが功を奏したのではないかと分析する。

◆ 秋田弁！単語カード

表面に方言とキャラクター、裏面には方言の意味、土地の情報や習慣などを解説したワンポイントレッスンカードも入っている。

発売元 くまがい印刷
秋田弁！ 単語カード：500円（税込）

◆ 宮城・仙台弁！単語カード

キャラクターは"東北ずん子"。こばやしさんが作ったオリジナルキャラクターではないが、東北地方の企業は申請なしで商用利用ができるため、単語カード用に全て描き下ろした。

発売元 くまがい印刷
宮城・仙台弁！ 単語カード：540円（税込）

イベント用のぼり。県外のイベントにも積極的に参加し、こばやしさんの有するコンテンツをはじめとした秋田の情報を発信する。

娘との会話から生まれた単語カードという発想

その後、2012年に2冊めの書籍「あきたをおしえて!!」（くまがい書房刊）を上梓。その際にお世話になった地元の印刷会社に、「秋田弁！単語カード」の企画を相談したところ、担当者からもすぐに「面白い！」と賛同を得て、制作がはじまった。NHKの朝ドラ「あまちゃん」の影響で、「じぇじぇ」などの方言が流行ったことも背景にある。単語カードには、73の秋田弁と、44のワンポイントレッスンがリングでまとめられ、秋田県内の土産物屋、県内の書店、ネットショップ、県外のアンテナショップで販売されている。「単語カード」という発想は、こばやしさんが中学生の娘さんと英単語が覚えられないという話をしていた時に、そういえば自分が学生だった時には、単語カードを使っていたなあと思い出したことがきっかけになったそうだ。印刷会社の担当者と、数多ある秋田弁の中から、単語カードに載せたい言葉をセレクトし、おなじみのキャラクターのイラストと組み合わせ完成させた。SNSにはじまり、地元の新聞やテレビ、全国紙でも取り上げられ、発売1年で1万部を売り上げた。県内の企業のノベルティや、2014年の「あきた国民文化祭」のノベルティのひとつとして採用された。県外に住む秋田県人会の方が、まとめて購入してくれたという話も聞く。

「秋田弁！単語カード」のヒットに関しては、こばやしさんは、「言葉をお土産に持って帰る」というコンセプトと、単語カードという形状がよかったのではないかと分析する。方言を書いた暖簾や湯呑みといった土産物はすでにあったが、もっと小さくてかさばらない、お土産として手にとりやすいという点で単語カードという形状は最適だった。それに加え、印刷会社の担当者の方が「今は、いいものを作ってもそれだけでは、なかなか売れない時代。しかし、こばやし先生は、自ら情報を発信する力があるところがすごい。」と語った言葉が印象的だった。モノを作った後の知ってもらう努力、それを惜しまないこともヒットにつながる要因のひとつといえる。

◆「あきた4コマち」のキャラクター
名前はみんな秋田の地名に因んだもの。

◆「あきた4コマち」
横浜から秋田に転校してきた高校生神宮寺みなせの、秋田の言葉や風習に戸惑う高校生活の日常を描いた4コマ漫画。個性豊かなクラスメート、先生が登場する。

「秋田弁！単語カード」のヒットを受けて、「宮城・仙台弁単語カード」も発売された。現在は、他県の単語カードの企画も進行中とのこと。47都道府県全ての単語カードを作ることが夢とこばやしさんは語る。

漫画やキャラクターが受け入れられやすい時代に

ひとつ気になることとして、こうした漫画のキャラクターは若い人には受け入れられやすいが、年配の方にはどうなのかということを聞いてみた。「単語カードに関しては50代、60代ぐらいの方もよく買ってくれているそうです。漫画やキャラクターに対する抵抗は、以前よりずっとなくなってきているのではないか。考えてみれば、ガンダムが放映されてから35年以上経っていますからね。」と。お固い企業や官公庁でも少しずつ、受け入れられはじめていることを感じているそうだ。

現在、こばやしさんは新しいWeb４コマ漫画「地方は活性化するか否か」を連載している。秋田の実情から見た「地方創生」や「地域活性化」をテーマとした4コマ漫画で、登場するのはやはり、一見ほのぼのとしたかわいい女子高生たちだ。しかし、そんなキャラクターが代弁する言葉は、地域活性化の実情（ある意味、惨状）をズバっと、ビシっと、えぐっている。同じ問題を抱え共感した県内外の人や、地域活性化やシティプロモーションを扱う大学の教授・研究者などからの反響も大きく、連載開始から約1年間で2,000,000ページビューにもなった。今後も、こばやしさんは漫画やキャラクターをはじめ幅広く、秋田から自分ができることを模索・発信していきたいという。

◆プロフィール

こばやしたけし

秋田市在住。studio at-take代表。イラストレーター・漫画家。主に広告用イラスト、マンガ、オリジナルキャラクターの制作、イラストレポート作成、電子書籍用企画等を行う。秋田朝日放送「トレタテ!」に隔週にてゲストコメンテーターとして出演中。SNS、WEBサービスを活用するセミナーの講師もつとめる。漫画・イラストは独学で習得。ちなみに、好きな漫画家は「よつばと!」などの あずまきよひこ氏。

文・編集部

Food / Beverages etc.

国民的ボクシング漫画で史上初の特保コーラを力強く印象づける

キリン メッツ コーラ × あしたのジョー

ポスター

キリンメッツコーラは、食事の際に一緒に飲むことで脂肪の吸収を抑えるという、史上初の「特保」コーラ。この商品の広告に誰もが知る名作ボクシング漫画「あしたのジョー」を起用した。矢吹丈、丹下段平、白木葉子といったお馴染みのキャラクターたちの台詞が、史上初の特保コーラを強く印象づけている。

おいしさを笑顔に
KIRIN
特保のコーラだから、
ピザやバーガーや
チップス好きには
たまらないわね、
矢吹くん・・・。
4.24
新発売!
史上初!
食事の際に、脂肪の吸収を抑えるコーラ。
Ⓒ高森朝雄・ちばてつや／講談社・TMS　※特定保健用食品史上初
KIRINMETS.jp　のんだあとはリサイクル。　キリンビバレッジ株式会社

キリンビバレッジ［飲料メーカー Beverages］　CD：松尾卓哉　AD：青木二郎　P：石川 寛　CW：松田 健　DF：ADK ／ 17　SB：ハツメイ

おいしさを笑顔に
KIRIN

史上初!!※特保のコーラだぜ!

消費者庁許可
特定保健用食品

食事の際に脂肪の吸収を抑える
KIRIN
Mets 0 糖類ZERO
COLA
<キリン メッツ コーラ>

4.24
新発売!

食事の際に、脂肪の吸収を抑えるコーラ。

©高森朝雄・ちばてつや／講談社・TMS　※特定保健用食品史上初

KIRINMETS.jp　のんだあとはリサイクル。　キリンビバレッジ株式会社

現代人の欲求と願望を うまく突いたコラボレーション

黒烏龍茶 × 笑ゥせぇるすまん　ポスター

▶ 30～40代男女

食事による脂肪の摂取が気になる人々に向けて、食事と一緒に飲むことで食事の脂肪吸収を抑えるという黒烏龍茶の効能を、『笑ゥせぇるすまん』の喪黒福造というキャラクターを用いて訴求。黒烏龍茶の「黒」と喪黒福造の「黒」でキャッチなイメージを定着。またキャラクターの決め台詞である「ドーン」が製品の効能をよりアピールするのに功を奏している。

サントリー食品インターナショナル［食品・飲料メーカー Food & beverages］　CD：高上 晋 / 安藤 隆　AD：白井陽平　D：星野哲也　CW：藤村君之　SB：サントリー食品インターナショナル

カフェイン2倍コーヒーのインパクトを強烈キャラで訴える

UCC フルスロットル × デビルマン　ポスター

▶ 20〜30代男性

40年以上前に誕生したキャラクターであるデビルマンを、当時のコミック調のまま現代のアニメ制作者たちの手に委ね、時代を超えた表現でターゲット層にアプローチ。カフェインが通常の2倍含まれた商品の特性を、タレントやモデルではなく"人間以外のもの"に、「人間よ、覚醒せよ」と大胆に代弁させ、強いメッセージ性や企画性を打ち出した。

©永井豪／ダイナミック企画

UCC上島珈琲［飲料メーカー Beverages］　チーフコミュニケーションデザイナー：中澤純一　コミュニケーションデザインディレクター：西川聖一　CD：堀江健一　CW：遠藤２号　AD：近藤洋一　CMプランナー：月舘玄奈　エージェンシープロデューサー：有川 潤　営業：川合良幸 / 高見雅則　DF, SB：ENJIN

ラーメンのB級感と マッチするコミック調の表現で 集客増加を狙う

ラーメンスタジアム

ポスター / チラシ

キャナルシティ博多にあるラーメンのフードテーマパーク ラーメンスタジアムの広告。B級感のあるメニューと親和性の高い表現として、コミック調のイラストを起用。「ラーメン一家」という家族キャラクターを立て、ポスターのメインビジュアルとし、新聞号外風のチラシでは各キャラクターのプロフィールも紹介されている。

福岡地所［レジャー施設 Leisure facilities］ CD, AD：谷口竜平 D,CW：榊 大貴 I：諫山直矢 AE：C.E.Works DF, SB：ダイスプロジェクト

ラムちゃんが応援してくれる 黄色と黒のエナジードリンク

リゲインエナジードリンク×うる星やつら

ポスター

▶ 30～50代を中心とした社会人男性

商品のブランドカラーである黄色と黒の印象を強く打ち出すために、同じく黄色と黒のトラ柄コスチュームでお馴染みの“ラムちゃん”を忠実に実写化し広告を展開した。ラムちゃんは、1978年～1987年に週刊少年サンデーに連載された高橋留美子原作の人気漫画『うる星やつら』(小学館刊)のヒロイン。80年代に青春を過ごしたターゲット世代の心に響くことが起用の決め手となった。

©高橋留美子／小学館

サントリー食品インターナショナル［食品・飲料メーカー Food & beverages］　CD：高上 晋 / 中治信博　AD, プランナー（企画）：藤井 亮　CW, プランナー（企画）：古川雅之　P：十文字美信
SB：サントリー食品インターナショナル

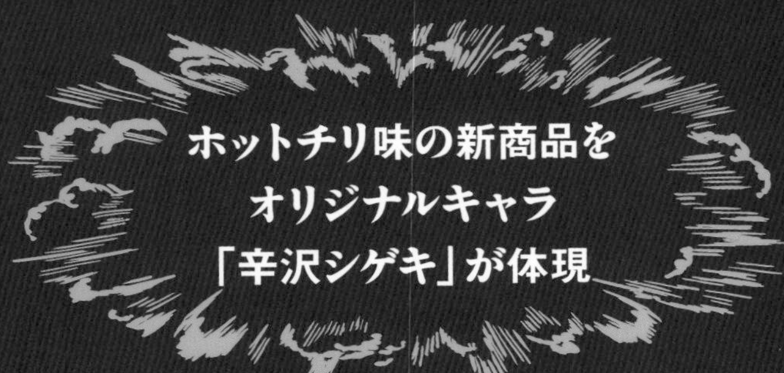

カラビー　パッケージ / 販促ツール

▶ 辛味好きのオールターゲット

中国・四国・九州エリアで先行発売したカルビーのホットチリ味ポテトチップス「カラビー」。商品コンセプトは「美味しさと辛さのベストバランス」。「辛さが苦手」な社員「辛沢シゲキ」というオリジナルキャラクターを設け、商品パッケージを作成。キャラクター設定を綿密に行うことで、その世界観を軸にストーリー性の高い販促を展開した。

ポスター

カルビー［食品メーカー Food］　CD, PL（TVCM）, CW（TVCM）, 漫画原案（WEB）, SB：瀬尾篤史　DF：中国四国博報堂 / 博報堂九州支社
【パッケージ・プロモーションツール】AD, ネーミング（辛沢シゲキ）：中村富子　AD, D, キャラクターデザイン：永戸修司　P：迫 文雄
DF：ペンギングラフィックス　【TVCM】I：松原ダイスケ　DF：ワンダーランドハウス / IC4デザイン / 4℃　プロデューサー：西田篤史
ディレクター：岸 浩一郎　撮影：古賀康隆　アニメーション：井上さとこ　編集：大田圭介　ナレーション：古谷 徹
【WEB】AD：望月伸夫　D：西本千尋　DF：スウィンギングビッツ　漫画作画：松原ダイスケ

部長、新商品のカラビー完成しました!!
Calbee
カラビ〜
カルビー 商品企画開発課
辛沢 シゲキ
そのカラビーの辛さとやらを見せてもらおうか
カルビー 商品部
蛇賀野 部長
!!
何を…
カラビ〜
ボボボボォ
カラビ〜
カラビ〜
パァァァァァ…
Calbee
カラビ〜
Calbee
カラビ〜

TVCM

WEB漫画

家庭のおかずコンテストを 不朽のスポ根マンガで 盛り上げる

おかず日本一決定戦2012 × 巨人の星

交通広告

▶ **主婦。外食をしていない中食層**

おかずの星は、日本中の家庭に眠っている美味しいレシピを発掘し、優秀作品を全国の店舗で商品として提供していく国民的コンテスト。「お客様と共に、食から日本を元気に」を掲げる居酒屋チェーンのモンテローザが展開する。大きなフィーを賞金にすることで、人興しのためのチャンスを提供し、世の中をわくわくさせる。そんな大金をつかみ取る大きな希望を『巨人の星』と重ね合わせた。

モンテローザ［飲食業 Restaurant］ CD：柴垣樹郎 / 山本 段（インサイトコミュニケーションズ） CD：安部 翔/ 吉田法仁 / 佐藤圭一（リクルートコミュニケーションズ） AD：西尾 望（TRACKS&STORES）
CW：安部 翔（リクルートコミュニケーションズ） AE：徳重浩介 / 森 高史（リクルートライフスタイル） SB：モンテローザ

あそこの中華料理屋に負けているのは
.5月開幕!!
okazu-star.com
おかずの星 検索

おかずの星
おかず日本一決定戦★2012
高額だけど人生が狂うほどではない。
それぐらいの賞金が一番の幸せよ！
日本最大級のレシピコンテストが帰ってきた！ 2012.5月開幕!!
主催：株式会社モンテローザ おかずの星事務局
お問い合わせ先：info@okazu-star.com
協力：毎日の料理を楽しみに COOKPAD http://cookpad.com
http://cookpad.com/ar/okazu-star
ABC Cooking Studio
okazu-star.com
おかずの星 検索

2012.5月開幕!!
okazu-star.com

おかずの星
おかず日本一決定戦 2012
水分たっぷりを「ジューシー」と形容するなんて
まさにポエム。
日本最大級のレシピコンテストが帰ってきた！ 2012.5月開幕!!
okazu-star.com

おかずの星
おかず日本一決定戦 2012
食え！ワシの新メニューが食えんのか!?
待って、今日10食目よ！
日本最大級のレシピコンテストが帰ってきた！ 2012.5月開幕!!
okazu-star.com

おかずの星
おかず日本一決定戦 2012
困ったら「炙る」という手があるぜ。
風味？
日本最大級のレシピコンテストが帰ってきた！ 2012.5月開幕!!
okazu-star.com

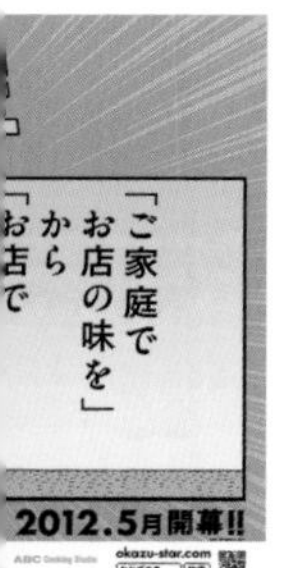
「ご家庭でお店の味を」から「お店で
2012.5月開幕!!
okazu-star.com

おかずの星
おかず日本一決定戦 2012
あたらしいレシピより
アタシらしいレシピよ！
日本最大級のレシピコンテストが帰ってきた！ 2012.5月開幕!!
okazu-star.com

おかずの星
おかず日本一決定戦 2012
いま、1000万円貰えるかもしれない家事は、
炊事じゃ！
日本最大級のレシピコンテストが帰ってきた！ 2012.5月開幕!!
okazu-star.com

おかずの星
おかず日本一決定戦 2012
かくし味を隠してては、レシピにならんじゃろうが！
ひぃーっ
あひっ
日本最大級のレシピコンテストが帰ってきた！ 2012.5月開幕!!
okazu-star.com

お義母さん！
2012.5月開幕!!
okazu-star.com

おかずの星
おかず日本一決定戦 2012
1000万円を真剣に狙っている！
そんな女性を、嫁に狙っとるとです！
日本最大級のレシピコンテストが帰ってきた！ 2012.5月開幕!!
okazu-star.com

おかずの星
おかず日本一決定戦 2012
タマネギ刻む姉ちゃんの目が￥マークになってる!?
日本最大級のレシピコンテストが帰ってきた！ 2012.5月開幕!!
okazu-star.com

おかずの星
おかず日本一決定戦 2012
十日前の晩飯は忘れても
十代の忘れないおかずはある。
日本最大級のレシピコンテストが帰ってきた！ 2012.5月開幕!!
okazu-star.com

ターゲットが共感する人気キャラクターで築地銀だこをPR

築地銀だこハイボール酒場 × サラリーマン金太郎

ポスター / ノベルティ

▶ 30〜50代サラリーマン

立ち飲み酒場スタイルの「築地銀だこハイボール酒場」が、首都圏の店舗を中心に本宮ひろ志の人気漫画「サラリーマン金太郎」とのコラボキャンペーンを実施。サラリーマンをメインターゲットとし、ターゲット層に親しまれるキャラクター採用で共感を狙い、集客アップを目指した。期間中は、キャラクターにちなんだオリジナルたこ焼き「成り上がりたこ焼セット」も販売された。

ホットランド［飲食業 Restaurant］ SB：ホットランド

「成り上がりたこ焼きセット」を注文するともらえる特製漫画シート（数量限定）。シートの上にたこ焼きを置くと漫画の一場面が完成する。

ミネラルウォーターの躍動感を演出する漫画風エフェクト

Vittel

ポスター

ツール・ド・フランスをはじめとした世界のスポーツシーンで愛飲されているフランス発のミネラルウォーター Vittel。まるでスポーツ漫画のワンシーンのような躍動感あふれるドラマッチックなビジュアルが、消費者に商品を強く印象づける。

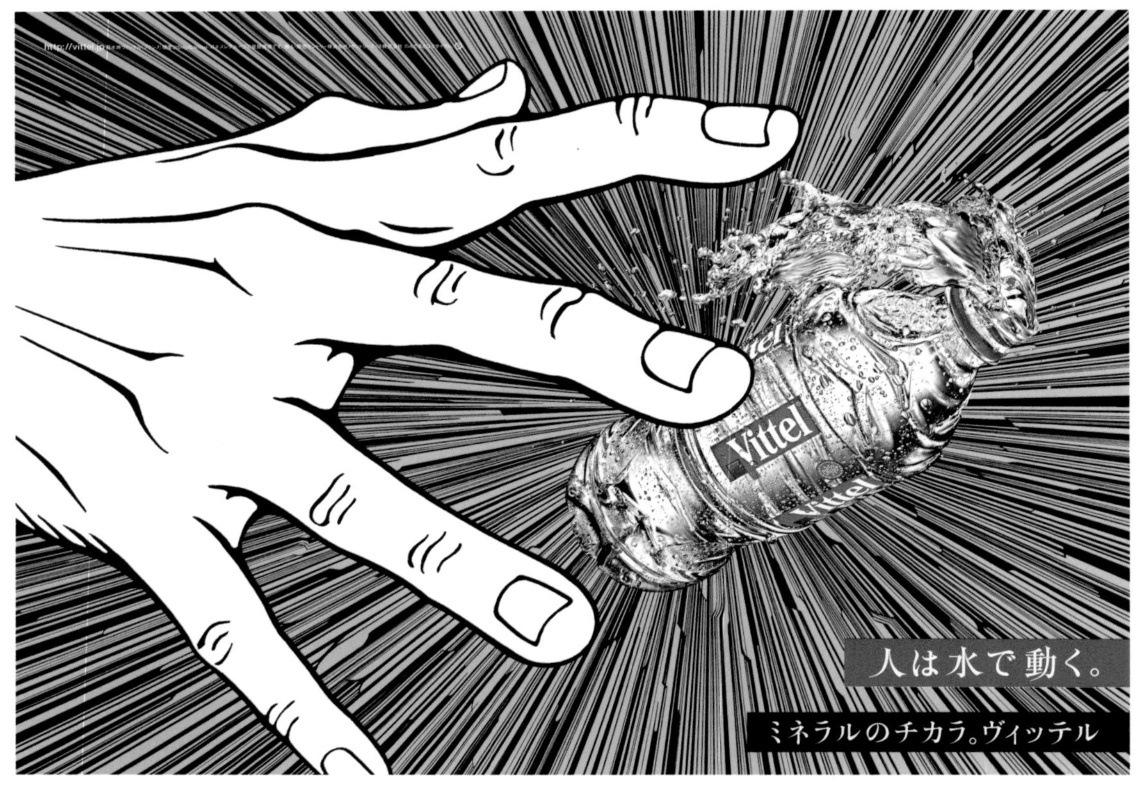

サントリー［食品・飲料メーカー Food & beverages］ CD：高上 晋 CD, CW：門田 陽 AD：三近 淳 D：本多修三 / 北中 陽 I：山根 Yurio 茂樹 CW：赤松隆一郎 P：岡田初彦 DF：J.C.SPARK SB：電通

劇中広告ポスターを
実際のポスターとして
そのまま露出

ポカリスエット × 宇宙兄弟　ポスター / ノベルティ

▶ 子どもたち（小学生）を中心とした若者全般

ポカリスエットでは、2014年5月より「LUNAR DREAM CAPSULE PROJECT」という子どもたちの夢を月に届けるプロジェクトを実施している。そのテーマとの親和性の高さから、アニメ「宇宙兄弟」とコラボレーション。映画「宇宙兄弟#0」劇中で、主人公・南波日々人がポカリスエットの広告キャラクターになるという設定を現実世界でも展開し、映画とリンクする効果を狙った。

Otsuka 大塚製薬

POCARI SWEAT
OPEN

宇宙でも、
汗はかく。

ION SUPPLY DRINK
POCARI SWEAT

大塚製薬［製薬・飲料メーカー Pharmaceuticals & Beverages］　CD：細川直哉（ドリル）　AD：酒井一成（taiboku）　DF：A-1 Pictures　CW：小山宙哉　AE：山本初直 / 福地秀基 / 塩見拓也（電通）　SB：大塚製薬

商品の長い歴史と変遷をマンガで分かりやすく伝える

FROM AQUA（フロムアクア）　中吊り広告

▶ **商品を知っているが購入までに至らない層**

谷川連峰の天然水として前身の「大清水」から数えて30周年を迎えた「FROM AQUA」の電車内中吊り広告。発売以来、変わらない天然水の品質から落ちないキャップの開発まで、長年の歴史と変遷をマンガで分かりやすく紹介している。WEBサイトでは、登場キャラクターの各プロフィールや、発売当時の物語を詳細に描いたマンガもUPされている。あらゆる世代が受け入れやすい広告を目指した。

JR東日本ウォータービジネス［飲料メーカー Beverages］　SB：JR東日本ウォータービジネス

FROM AQUA フロムアクア30年物語

NATURAL MINERAL WATER
FILTERED BY
TANIGAWA MOUNTAINS

谷川連峰の天然水

第一話
ある日の午後

みんな聞いて 今年は谷川連峰の天然水30周年よ

商品開発部 部長
水尾 好子

(株)JR東日本ウォータービジネス
商品開発部

えー？『フロムアクア』って2007年デビューじゃないんすか？

え？

商品開発部 新人
谷川 岳人

もとは『大清水』という名前で1984年に発売されていたのよ

上越新幹線の「大清水トンネル」の工事中に湧き出た水っていうエピソード聞いたことあります！

※このマンガは一部フィクションです。

懐かしの味が
シリーズで甦る
アメコミ風パッケージ！

スーパーレモンキャンデー・シリーズ　パッケージ

▶ 10〜30代男性中心。子どもの頃食べていた40代。

1985年の発売以来、刺激的な酸っぱさでファンを惹きつけてきたキャンデーを、インパクトのあるパッケージと共に復刻。「あの味」を思い出す懐かしさに思わず手に取るファンも多い。 他にはない強烈な酸味の刺激が一目で伝わるように、 アメコミ調の復刻版デザインをさらに新聞調にアレンジ。 味の異なる別バージョンも展開し、袋裏の4コマ漫画とあわせて、味も見た目も楽しい商品を目指した。

ノーベル製菓［食品メーカー Food］　SB：ノーベル製菓

40周年を記念する
国民的マンガ家競演
おもしろパッケージ

キャラメルコーン

▶ 主に子どもを持つ親。子どもからお年寄りまで幅広い年齢層

キャラメルコーンは、子どもからお年寄りまで誰もが知っている国民的スナック。2011年に40周年を記念し、国民的なマンガ家によるオリジナルキャラクターをデザインした「マンガ家コラボスペシャルパッケージ」を販売。本パッケージはシリーズ第二弾のもの。赤塚不二夫、高橋留美子、さいとう・たかを、水木しげるの４種類で、それぞれ商品の味に合わせてパッケージの色を変えて展開した。

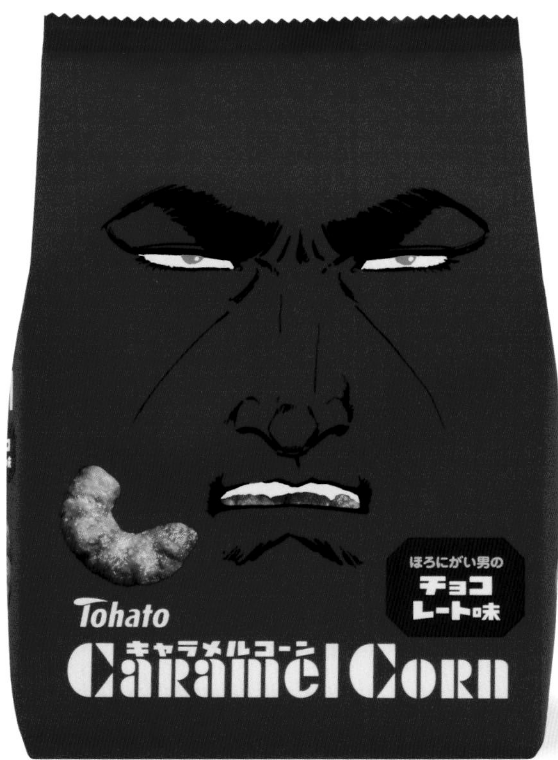

©さいとう・たかを／リイド社

©赤塚不二夫／フジオプロ

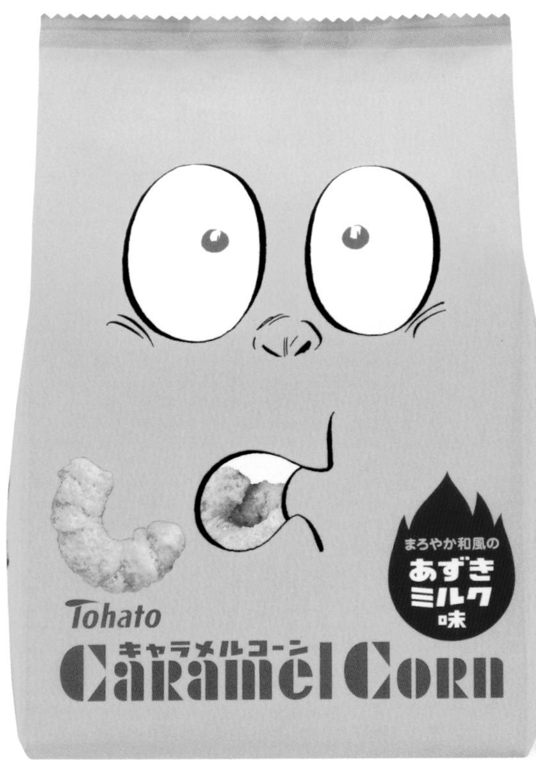

©水木プロ

©高橋留美子

東ハト［食品・飲料メーカー Food & beverages］ CD：北風 勝 AD：杉本ユキ C：石下佳奈子 D：小島 瞳 / 斎藤若菜
キャスティング：佐野博昭 I：赤塚不二夫 フジオプロ / 高橋留美子 / さいとう・たかを リイド社 / 水木プロ 企画・制作：博報堂 SB：東ハト

お菓子の概念を超える 70年代風少女漫画との融合

女王製菓 女王サブレ

パッケージ

岡山市を拠点に活動するパン職人によるユニークなお菓子「女王製菓」。サブレには女王のキャラクターの顔が刻まれているほか、パッケージにはランダムに「かるた」や「マンガカード」が封入されており、お菓子の域を超えて思わずいくつも集めたくなる商品となっている。「自社製品なので、クライアントの意向を気にすることなく自由に作ってみよう」というコンセプトでサブレ以外の商品展開も進めている。

マンガカード

裏面

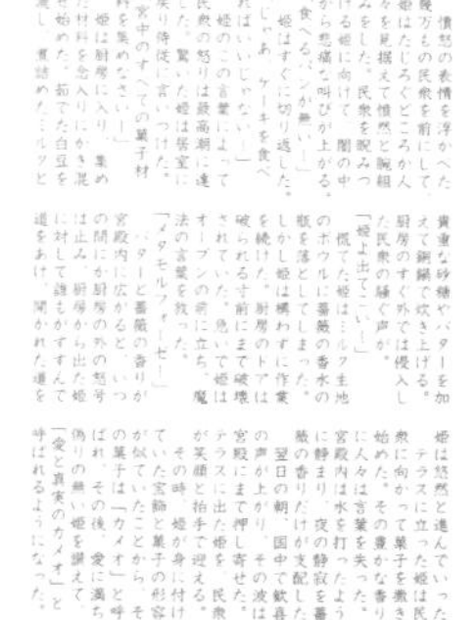

スペシャルブックレット

NATIONAL DEPART［食品メーカー Food］ AD, D：秀島康右 SB：ナショナルデパート

ギロチンだ！
ふざけたやつだ！
小麦よ、バターよ、新鮮な卵たちよ、メタモルフォーゼ！
民どもよ、私の菓子を存分に楽しむがいいわ
お姫様ありがとう
い
いい度胸ね
私に触るなんて
百万年早いわよ
は
晴れてばかりじゃ
お気に入りの傘を
自慢できないのよ
な
何を言っているの
私は誰のものにも
ならない女よ。
う
運命の人だって？
悪い夢から早く
醒めるといいわね。
の
のんびりしたいわ
あなたのいない
素敵な場所で
あ
あなたは憶えていても
私はすっかり忘れたわ。

かるた

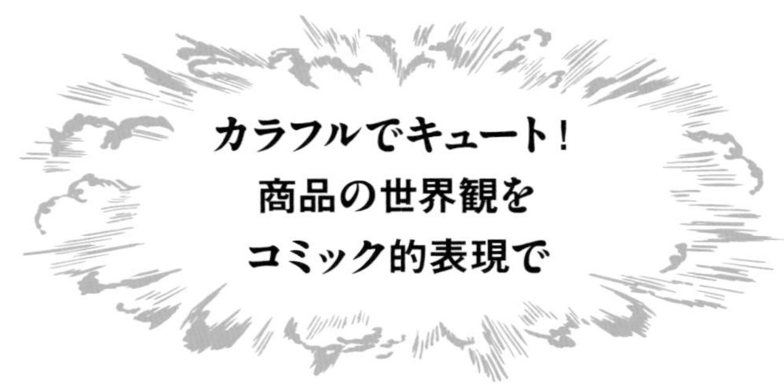

ポイフル

ポスター

ラズベリー、グレープ、青リンゴ、レモン味を詰め合わせたグミキャンディ「ポイフル」。商品のポップでキュートな雰囲気を、ビジュアルに落とし込むためコミック的な表現が用いられている。カラフルな背景の中に、商品の弾けるような楽しさとふくよかさを感じさせるフォントや吹き出しを効果的に用いることでシズル感を掻き立てる仕上がりとした。

明日をもっとおいしく
meiji

ポイフル

ポイポイカラフル！

poifull.jp

株式会社 明治

明治［食品・飲料メーカー Food & Beverages］ AD, D, SB：ファンタジスタ歌磨呂 P：クマダタカキ

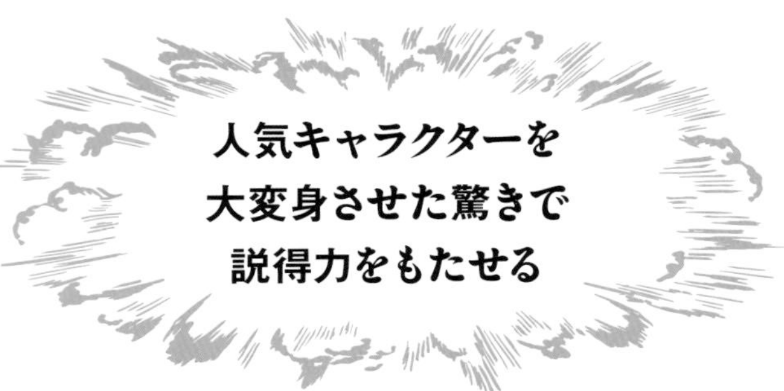

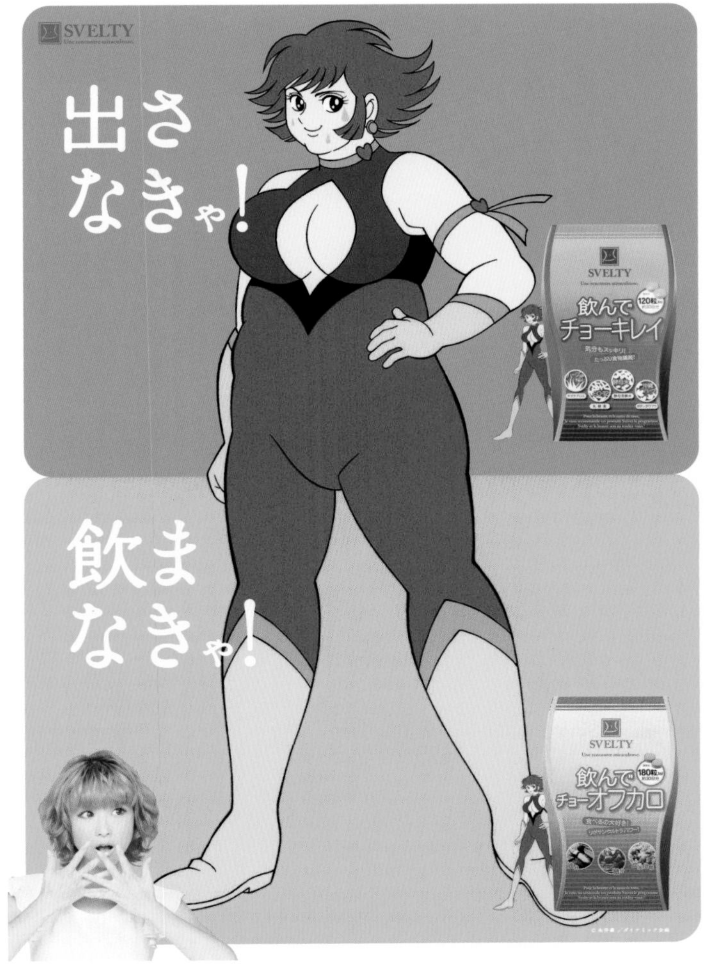

SVELTY × キューティーハニー

ポスター

ナイスバディのキューティーハニーが、ぽっちゃり太ってしまったというイメージのギャップを狙う。TVCMではむちむちの変身シーンなどが話題となり反響を呼んだ。「出さなきゃ」「飲まなきゃ」のキャッチとともに、ダイエットサプリメントである本商品の効果を訴求。 キャラクターと共にダイエットを目指そうというユーザーの共感を引き出した。

ネイチャーラボ［美容品等開発・流通 Cosmetics distribution］　CD, PL, CW：福里真一（ワンスカイ）　AD：ひげ・めがね　P：森本美絵　プロデューサー：佐々木カンナ

ファンと共に創り上げる
それがオレたちの
ゆきこたん！

雪印コーヒー「オレたちのゆきこたんプロジェクト」

パッケージ / 販促ツール

▶ 10〜30代前半の若年層男性

既存のキャラクターを起用するメーカー発信の広告プロモーションではなく、雪印コーヒーを愛するファンと共に、末永く愛されるキャラクターを一緒に創り上げたいと「オレたちのゆきこたんプロジェクト」がスタート。一般公募によって公式キャラクター「ゆきこたん」が誕生。パッケージやWEBなど幅広い媒体での展開や、ソロライブが見られるARパッケージなどでも話題を呼んだ。

YUKICOTAN♥S
ゆきこたん♥ズ

優秀賞6作品のゆきこたん

パッケージ

雪印メグミルク［飲料メーカー Beverages］　CD：山本友理　プランナー：笹原与法立　エグゼクティブディレクター：小林紀代美

ポスター

ARスペシャルパッケージ　スマートフォンなどに専用のARアプリをダウンロードし、パッケージにかざすと歌って踊るゆきこたんが現れライブを見ることができる。
※AR＝Augmented Reality。拡張現実。目に見える現実の世界をコンピュータにより拡張させる技術。

擬人化してみた！みんなのC.C.レモンがオリジナル缶に

C.C.レモン擬人化プロジェクト　オリジナル缶

▶ サブカルチャーユーザー

サントリー食品がイラストに特化したSNS「pixiv」との共同企画として「C.C.レモン擬人化プロジェクト」を実施。最優秀賞・優秀賞を含む受賞作品200作品をオリジナル缶にし、コミックマーケット82で展示した。また同コミケでは、擬人化イラストを柱巻広告にも展開した。

コミックマーケット82展示の様子

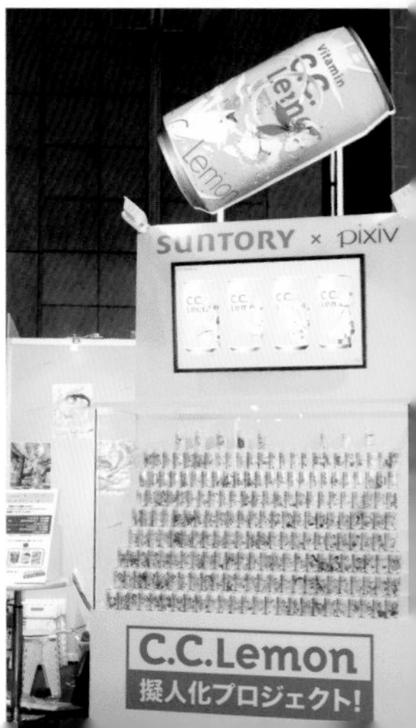

※現在は販売しておりません。

サントリー食品インターナショナル［食品・飲料メーカー Food & beverages］　CD：日野貴行（SIX）　クリエイティブプラナー：平 知巳（博報堂）/ 林 龍太郎（博報堂）
AD：小栗卓巳（博報堂）　DF：フォックスデザイン　SB：サントリー食品インターナショナル

一般公募による参加型のコンテストで注目度アップを図る

白沢パピ子 デザインコンテスト

パッケージ

▶ 20～30代

1975年の全国発売以来、女の子のイラストを施し親しまれてきたパピコホワイトサワー。さらに多くの人たちに愛されることを目指して、「白沢（ほわいとさわ）パピ子」という名前を命名し、キャラクターのデザインを公募。イラストに特化したSNS「pixiv」と共同でコンテストを開催、優秀作品3点をパッケージ化した。現代的な萌えキャラ風パピ子で商品イメージを一新した。

江崎グリコ［食品・飲料メーカー Food & Beverages］ SB：江崎グリコ

中高生にも人気の
アニメでロングセラー商品の
購買力UPを狙う

アイスの実「放課後アイスタイムきゃんぺーん！」× 映画「けいおん！」 ポスター

▶ 中高生

人気アニメとロングセラーアイスの実のタイアップキャンペーン。キャンペーンタイトルは、作中のバンドユニット「放課後ティータイム」に因み、「アイスタイム」とした。対象商品を買うと声優直筆サイン入りのオリジナルグッズが当たるなど、ファン垂涎の展開で購買力を刺激。告知には、秋葉原駅構内の声優サイン&コメント入りのポスターの掲示や、公式サイトでの隠し音声など、SNSでも話題・拡散を狙った。

江崎グリコ［食品・飲料メーカー Food & beverages］　SB：電通

ラブライバー熱狂！
μ's（ミューズ）たちの地元にて
コラボ実現

ピザハット × ラブライブ！

販促ツール

▶ 20代、30代全般

2006年よりアニメやゲーム作品とのタイアップを多く行ってきたピザハット。2014年2月に人気アニメ「ラブライブ！」のコラボレーションを実施した。作品に出てくる主人公たちの地元が東京の神田周辺、通う学校が「音ノ木坂学園」ということで、ピザハット神田店が期間限定で「ピザハット音ノ木坂店」に名前を変えた。オープンには100人以上が並び、その熱狂ぶりも話題となった。

ピザBOX

ポスター

店舗外装

ピザ配達用バイク

フェニックス［飲食業 Restaurant］　CD, 戦略プランナー：神谷憲司　AD：染谷洋平　D：carmine / 與座 巧　プランナー：萬代景子　ディレクター：瀬島卓也　エグゼクティブ・プロデューサー：一色範彦　ビジネスプランナー：杉山雅俊　SB：フェニックス

妄想力全開！
面白パッケージで若者の
購買欲に火をつける

萌え系食品パッケージ

パッケージ

▶ 特に10〜30代の男女

中高生、大学生、20〜30代の人たちにとって、日常の一部ともなっているアニメ文化を発想源とし、その中で何か面白い物を探している若者へのアピールを狙った。レトルトカレー、鍋の素、レトルト丼、お茶漬けなどのラインナップにインパクトのある商品名、キャッチーなコピーとともにパッケージに描かれたイケメン彼氏・萌え彼女たちが話題となっている。

エムケイエンタプライズ［雑貨企画・卸売 Variety goods planning / Wholesale］　企画者：高橋あゆみ　D：阿部麻美 / 大坪千寿　SB：エムケイエンタプライズ

鍋のモトカレ
～キムチ鍋の素～
キムチ
「俺の好きな味、忘れてなかったんだな。
なんだよ、褒めてほしいのか？ だったら、
他のヤツには食べさせないって約束しろよ。」

鍋のモトカレ
～コラーゲン鍋の素～
コラーゲン
「この鍋、キミが喜ぶかと思って久しぶりに
作ってみたんだ・・・ていうのは口実で、
本当はキミに会いたかっただけなんだ。」

鍋のモトカノ
～とんこつ鍋の素～
MHenterprize
とんこつ
「ひ、久しぶりっ。今なんしようと？
あんね、鍋作ったとよ・・・
ひとりやと寂しいけん一緒にご飯食べよう？」

鍋のモトカノ
～キムチ鍋の素～
キムチ
「もう！ 誰が食べていいって言ったのよ？！
別に、あんたのために作ったわけじゃ
ないんだからね！」

頑張ってる君を・・・
守ってあげたくなる。
甘口
野菜ホワイトカレー①
レトルト彼氏

おかえりなさい。
今日も一日頑張ったね。
大丈夫、君には僕がついてるから。
さぁ、これ食べて、ゆっくり休んで
中辛
ポークカレー②
レトルト彼氏

一緒にゴハン食べれて嬉しいなぁ～。
どぉ？おいしい？
…えへへ、お兄ちゃんのために頑張って作ったんだよっ♥
中辛
ポークカレー①
レトルト彼女

残したりしたら…
許さないんだからね～！
ほら、食べさせてあげるから…
口開けなさいよ！
辛口
ビーフカレー③
レトルト彼女

世界中が熱狂する
大人気アニメでファン層の
購買意欲を高める

ポスター

ロッテリア ×
『聖闘士星矢 LEGEND of SANCTUARY』

パッケージ / ノベルティ

▶「聖闘士星矢」ファン

映画『聖闘士星矢 LEGEND of SANCTUARY』の公開に合わせ、キャンペーン限定のラバーストラップ付オリジナルセットを販売。「ふるポテ」の紙袋は劇中に登場する「聖衣箱」をデザインし、ファンの注目を集める付加価値を与えた。関連グッズの購買意欲が高いファンを多く持つ作品とタイアップすることにより、店舗への集客と売上の底上げを見込んだ展開を図った。

ノベルティ イヤホンジャック

ふるポテ紙袋

ロッテリア［飲食業 Restaurant］　D：高城まどか / 國富梨江　ディレクター：五十嵐志帆　AE：藤井隆史　SB：トキオ・ゲッツ

キャンペーン期間：2014年6月5日～8月31日
映画『聖闘士星矢 LEGEND of SANCTUARY』2014年6月21日公開

Lifestyle / Fashion etc.

「人類爽快化計画」を キーワードにアニメファンの 心をつかむ

サンテFXネオ／サンテFX Vプラス × ヱヴァンゲリヲン新劇場版：Q

販促ツール

▶ 10～40代男女

モニターでの長時間のコンテンツ視聴によって、目を酷使しがちのアニメファン層をターゲットにした製品を展開。『ヱヴァンゲリヲン』のようなビッグコンテンツと組むことで、これまでに目薬を使用したことのない人たちへのアイケア啓発、新規開拓を目指した。各キャラクターのバージョンで、それぞれのEVAをイメージしたカラーのオリジナルボトルを作成。ファンの購買欲を高めた。

オリジナルボトル

ポスター

参天製薬［製薬 Pharmaceuticals］　CD：山田高之　AD：山本拓生／野村 緑　D：辻井宏之　CW：松元篤史　DF：Creative Power Unit（製品・OOH）／タナックス（店頭POP）／ADKアーツ（TVCM）
AE：福岡克文／川端徹也　SB：アサツーディ・ケイ

駅貼りポスター

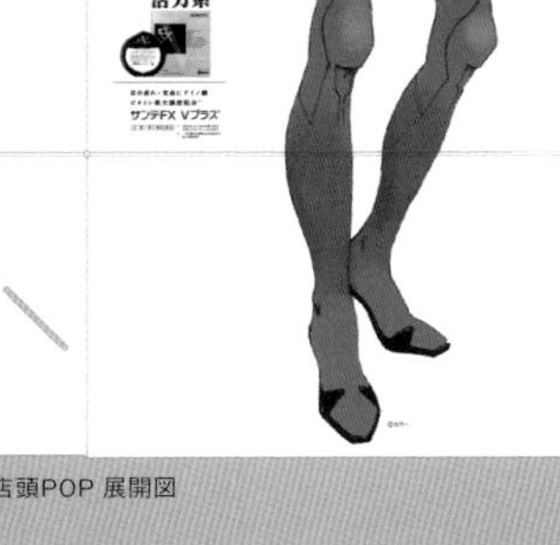

店頭POP 展開図

サイトTOP

©カラー

デジタル世界のスーパーヒロインで現代の若年層へアピール

ロート デジアイ × 初音ミク　店頭POP / パッケージ

▶ デジタル機器ユーザー（特に20～30代の若年層）

デジタル機器による目の疲れをケアする最先端の目薬として提案するべく、「デジタル世界のもの」という認知度の高い初音ミクを起用。デジタル機器とうまく付き合い「デジタルの世界を楽しもう」というメッセージを発信。薬液の黄色やブルーライトの青、描かれた緑の目など、カラー設計でも商品イメージを訴求。また初音ミクAR LIVEが見られるパッケージで購買力をアップした。

ROHTO

初音ミク

デジアイ

初音ミク AR LIVE

http://www.rohto.jp/digieye

パッケージにスマホをかざして

AR Liveを楽しもう！

アプリダウンロードはこちら！(2014年8月1日～)

ブルーライト等による

現代の目の疲れ、充血に

ロートデジアイ

デジタルの世界を楽しもう

【目の疲れ・充血】　第2類医薬品

package design by のん / illustration by 柚希きひろ

© Crypton Future Media, INC. www.piapro.net piapro

AR画像

スマートフォンなどに専用ARアプリをダウンロードし、パッケージにかざすとパッケージから初音ミクがたち上がりオリジナル曲を歌い踊ってくれる

ロート製薬［製薬 Pharmaceuticals］　CD：遠山芳実　AD：松長大輔　プランナー，ディレクター：堀大輔 / 荻野直幸　CW：荻野直幸　AE：福島大地　D：土井宏明　I：のん / 柚希きひろ / 加速サトウ　SB：ロート製薬

絶大なファンを持つ名作アニメで購買層の現状打破を目指す

シック × ヱヴァンゲリヲン新劇場版　ポスター / プロダクト

▶ 20～30代男性

父親世代のひげ剃り方法が定着している20～30代男性をターゲットに、新たなシェービングカテゴリーを模索してもらうための現状打破を狙ったキャンペーン。圧倒的な人気を持つ「エヴァンゲリオン新劇場版」とのタイアップを行い、インパクトあるフィギュア付きホルダースタンドとT字カミソリをセットにして販売。カミソリの概念を覆す斬新な商品で、購買意欲をそそった。本編ではありえない碇ゲンドウのビジュアルも話題に。

限定フィギュアスタンドセット

© カラー

シック・ジャパン［衛生用品製造 Sanitary ware］　SB：シック・ジャパン

萌え系キャラの起用で若者たちの健康管理を喚起

アスボ血液検査キャンペーン　検査キット / チラシ / WEB

▶ 定期健康診断を受ける機会がない若い男性

一般社団法人ICRは、臨床試験（治験）などを実施する病院が運営する医療機関。同機関がインターネットを活用した血液検査キットの無料配布を企画した。ターゲットは就職難などの影響でフリー志向が強くなった時代背景を考え、学校を卒業後、定期健康診断を受ける機会が少なくなった若者たち。このキャンペーンを彼らに認知してもらうために、オリジナルの萌え系キャラクターを起用し、キャラクターたちの物語をWEBで公開した。その結果、反響は大きく、スタートと同時に応募が殺到した。

オリジナルキャラクター

血液検査セット

WEB

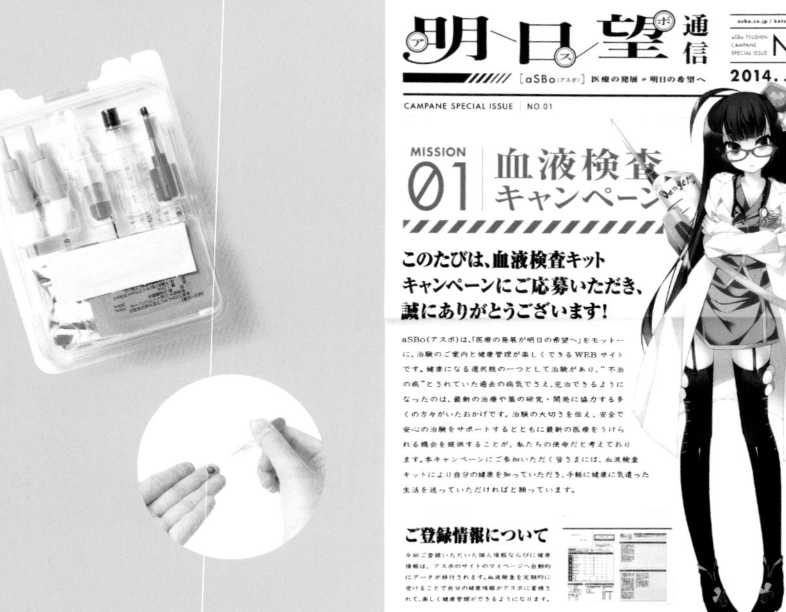

明日望 通信

[aSBo(アスボ)] 医療の発展が明日の希望へ

No 01

2014. JUNE

CAMPANE SPECIAL ISSUE | NO.01

MISSION 01 血液検査キャンペーン

このたびは、血液検査キットキャンペーンにご応募いただき、誠にありがとうございます!

aSBo(アスボ)は、「医療の発展が明日の希望へ」をモットーに、治験のご案内と健康管理が楽しくできるWEBサイトです。健康になる選択肢の一つとして治験があり、"不治の病"とされていた過去の病気でさえ、完治できるようになったのは、最新の治療や薬の研究・開発に協力する多くの方々がいたおかげです。治験の大切さを伝え、安全で安心の治験をサポートするとともに最新の医療をうけられる機会を提供することが、私たちの使命だと考えております。本キャンペーンにご参加いただく皆さまには、血液検査キットにより自分の健康を知っていただき、手軽に健康に気遣った生活を送っていただければと願っています。

ご登録情報について

今回ご登録いただいた個人情報ならびに健康情報は、アスボのサイトのマイページへ自動的にデータが移行されます。血液検査を定期的に受けることで自分の健康情報がアスボに蓄積されて、楽しく健康管理ができるようになります。

タブロイド風チラシ

OFFICIAL YOUTUBE.Ch

一般社団法人ICR アスボ事務局［医療 Medical care］　特別協賛：アイロム　CD：吉田浩美　AD：林裕也
キャラクターデザイン・原画：おーじ茶　原案：George Konno　企画・構成：田中あづみ　AE：Amatel　SB：一般社団法人ICR アスボ事務局

ターゲットの憧れの対象を70年代少女漫画風に再現

ヒロインメイク

パッケージ / パンフレット

「落ちない」「完璧な美」を目指したメイクシリーズのパッケージ。いかなる時も完璧に美しい少女漫画の「ヒロイン」に、一歩でも近づきたいと思う女性の願いを叶える。そんなブランドコンセプトを表すため、70年代に一世を風靡した少女漫画のヒロイン風のイラストとコピーを採用。並みいる競合商品との差別化を図った。

パンフレット

伊勢半［美容品製造 Cosmetics］　制作（パンフレット）：美工　SB：伊勢半

「変身」という女性の願望をテーマに現代美術家と美を追求

シックス ハート プリンセス by takashi murakami for シュウ ウエムラ

販促ツール / プロダクト

シュウ ウエムラ30周年を記念するクリスマスコレクション。世界的に活躍する気鋭の現代美術家・村上隆氏が企画・原案・監督する「6HP(シックス ハート プリンセス)」をフィーチャー。ピンクプリンセスとブラックプリンセスの2人のアイコンですべての女性に存在する「二面性」を表現。女性の美を引き出すメイクアップの魔法の力を、村上隆の創造性が誘引する。

イメージビジュアル

キャラクターメインビジュアル

Illustration by mebae

オリジナルアニメーション「6HP(シックス ハート プリンセス)」

カイカイキキ / シュウ ウエムラ [アーティストメネジメント / 美容品製造 Artist management, Cosmetics] SB:カイカイキキ

PRINCESS
by takashi murakami
for shu uemura
shu uemura

PRINCESS
by takashi murakami
for shu uemura
shu uemura

PRINCESS
by takashi murakami
for shu uemura

PRINCESS
by takashi murakami
for shu uemura

プロダクト

Would you bless me for who I am?
そんな私を祝福してくれる？

The Magic reveals your another self.
魔法がもう一人のあなたを露にする。

Pink or Black? Which do you like?
ピンクとブラック、どっちが好き？

Pink or Black? Henshin my style.
ピンクとブラック、変身、私のスタイル

PRINCESS
by takashi murakami
for shu uemura

PRINCESS
by takashi murakami
for shu uemura

「…わってお値引きよ！」
…リフでバーゲンを告知

SHIBUYA109 × 美少女戦士セーラームーンCrystal

▶ 10代後半〜20代前半の女性

SHIBUYA109のバーゲンは、毎年話題のアーティストとコラボレーションを行ってお…い世代·ジャンルの女の子に絶大な支持を得る「セーラームーン」とのタイアップが…ている名ゼリフをアレンジしたコピーや5人の美少女戦士のビジュアルを展開し、S…話題となった。

…メント［商業施設 Commercial facility］ CD：相澤 歩 AD：橋内和則 D：渡部あすか / 福田 陸 / 三田俊作 CW：星野祐子 / 鳥居 薫 プロデ…：水船秀猛 / メーク…

信じているの、ミラクルプライス！
109
BARGAIN
× SAILOR MOON

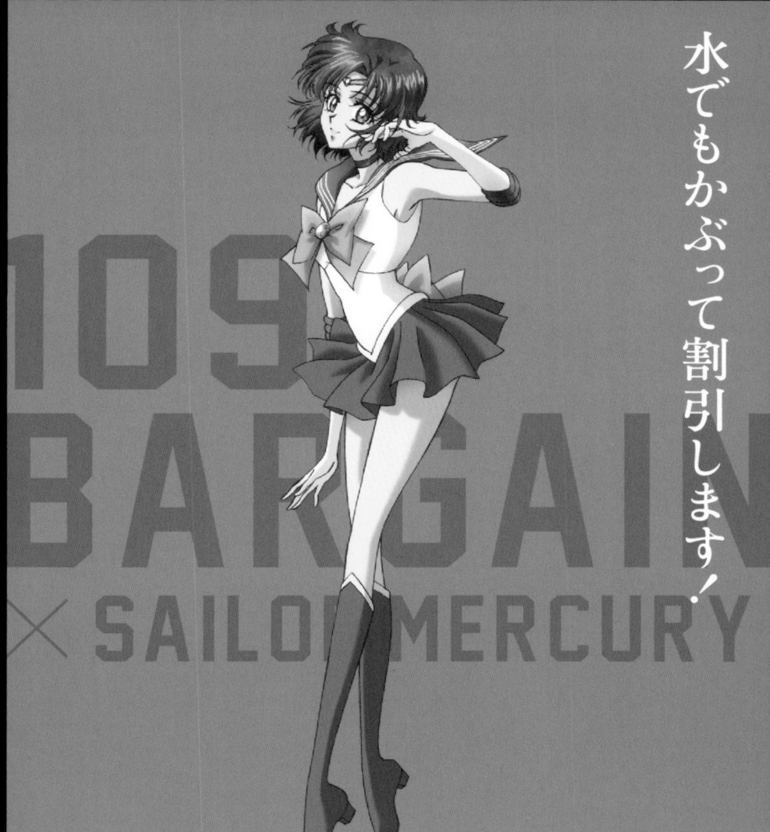
水でもかぶって割引します！
109
BARGAIN
× SAILOR MERCURY

火星にかわってプライスオフよ！
BARGAIN
× SAILOR MARS

しびれるくらいお買い得だよ！
109
BARGAIN
× SAILOR JUPITER

愛のプライス落とさせて頂きます！
× SAILOR VENUS

ネット上の密かなブームを取り入れてターゲットの注目を喚起

渋谷パルコ × カッコカワイイ宣言！ ポスター / 屋外広告

▶ ファッション・カルチャーに関心の高い10代〜20代の女性

ファッションやカルチャーに関心が高い10〜20代の女性に向け、渋谷パルコと地獄のミサワによるギャグ漫画「カッコカワイイ宣言！」とのコラボレーションが実現。当時、作品は広く知られてはいなかったが、その強烈な個性が、ネットを中心に一部の感度の高い若者の間で話題になっていた。キャラクターをデザイン性の高い写真の中に落とし込み、実写広告とのギャップに目を奪われる広告となった。

渋谷パルコ［商業施設 Commercial facility］ AD：八木ひとみ D：國分喜代人 / 村島由紗 P：神谷愛美 プランニング：伊藤佑輔 スタイリスト：竹岡千恵 ヘア：Sayuda メイク：遠藤真稀子 CG：堀口高士 モデル：田中里奈 PR：小矢島一江 / 村木諭 AE：石川克洋 DF：KANZAN 代理店：I&S BBDO DF, SB：ピキピキドカン

SHIBUYA
PARCO
渋谷パルコ
検索
2% Tokyo

SHIBUYA
PARCO
渋谷パルコ
検索
カッコ
カワイイ
宣言!
シブヤ
パルコ
も
KAKKOKAWAII SENGEN!
jouetie

SHIBUYA
PARCO
渋谷パルコ
検索
カッコ
カワイイ
宣言!
シブヤ
パルコ
も
KAKKOKAWAII SENGEN!
Lily Brown shibuya boutique

SHIBUYA
PARCO
渋谷パルコ
検索
mercibeaucoup,

SHIBUYA
PARCO
渋谷パルコ
検索
カッコ
カワイイ
宣言!
シブヤ
パルコ
も
KAKKOKAWAII SENGEN!
STUDIOUS 9.14 OPEN

SHIBUYA
PARCO
渋谷パルコ
検索
カッコ
カワイイ
宣言!
シブヤ
パルコ
も
KAKKOKAWAII SENGEN!
The Dayz Tokyo 9.14 OPEN

伝説のギャグ漫画「まことちゃん」を起用し幅広い客層へアピール

アトレ吉祥寺 × まことちゃん　ポスター / ガイドマップ　他

▶ 年齢・性別を問わず吉祥寺でのライフスタイルを楽しむ人

JR吉祥寺駅と一体化したアトレ吉祥寺は、地域に根差し、地域の暮らしに寄り添った商業施設。ニューショップオープンの告知に吉祥寺在住の楳図かずお氏を起用することにより、吉祥寺への愛を伝えられると考え、「まことちゃん」をメインビジュアルに。サブカルチャーやマンガの街でもある吉祥寺を表し、街に寄り添ったアトレ吉祥寺であることをアピールした。ツイッター等での盛り上がりなど話題性も狙った。

ポスター

アトレ吉祥寺［商業施設 Commercial facility］　CD：石川勇一郎　AD：福本慶喜　D：蓑島由加　CW：谷有加里　プランナー：芳賀奈津子　代理店：ジェイアール東日本企画　SB：ジャパンライフデザインシステムズ

ガイドマップ

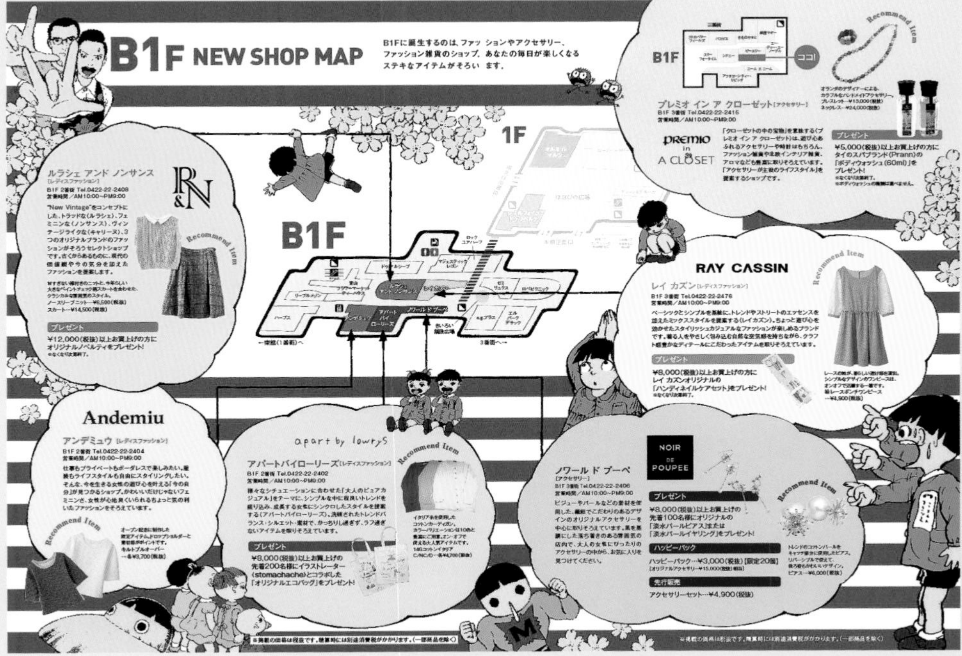

My favorite Town. Kichijoji

2014. 3.6 THU

もっと楽しいアトレ吉祥寺に

NEW SHOP OPEN!!

atré

ポスター

館内装飾

世代を超えた女子の
永遠の憧れで
固定観念をくつがえす

母の日キャンペーン × ベルサイユのばら

カタログ

▶ 10～40代の男女。母の日ギフトを贈る対象者全員

母の日にはカーネーションを贈る慣習の中、「母の日ははばら」というイメージをイトーヨーカドーが展開。店頭にはオスカルやマリー・アントワネットなど人気キャラクターが、「おかあさまへの思い」を込めたPOPなどを設置。薔薇をはじめ花をモチーフにしたフラワーギフトやスイーツ、雑貨など、様々なアイテムを提案。「ベルばら」と薔薇の花のゴージャス感が相乗効果となって、来店者の注目を集めることとなった。

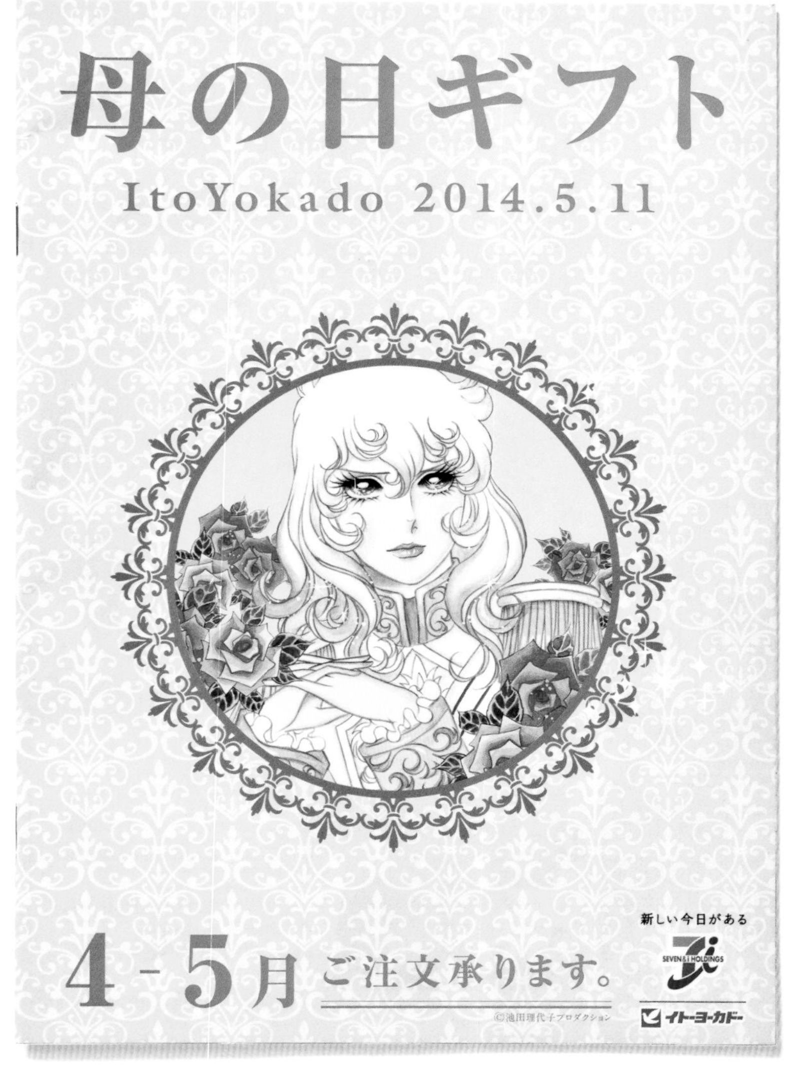

イトーヨーカドー［商業施設 Commercial facility］ CD：瀧本亜紀夫 AD, D：山本真理子 CW：門田 陽 AE：江口 健

母の日はばら
特別な気持ちを込めて、
今年の母の日は薔薇を贈りませんか?
大人の女性にふさわしい凛とした姿と
気品あふれる優美な香り。
花の女王として知られる薔薇を、
名作「ベルサイユのばら」の世界から
お届けします。
限定100セット
鮮やかなピンクの薔薇を、両手いっぱいの花束に。感謝の気持ちとともに、感動を贈りませんか? 100セット限定の商品です。
バラ花束「50本」
30000-5 8,200円(税込8,856円)
バラ50本 長さ:約50cm
※バラの花束は、蕾の混ざった状態でお届けします。
©池田理代子プロダクション
注文締切:5/7(水)まで お届け:5/9(金)~5/11(日)
※5/5(月)までのお申込みに限り、お届け日の指定ができます。
1

母の日/ばら特集
本物の薔薇を、24金で美しくコーティングした"ゴールドローズ"と、丁寧にふちどりした"レッドローズ"。感謝の気持ちとともに、いつまでも咲き続けます。
ゴールドローズ
30010-1 19,200円(税込20,736円)
プリザーブドフラワーローズ(24金メッキコーティング) 長さ:約29cm
レッドローズ
30023-0 16,000円(税込17,280円)
プリザーブドフラワーローズ(24金メッキ縁取り) 長さ:約29cm
インターネットでもご注文を承ります。
イトーヨーカドー 検索
※クレジットカードでのお支払いとなります。(セブンカード・アイワイカードおよび各種クレジットカードがご利用いただけます)
※インターネットでは一部商品の取り扱いがございません。
イトーヨーカドー ネットスーパー
お店で販売している商品をご自宅にお届けする便利なネットスーパーでも、母の日・父の日ギフトのご注文を承ります。
7net shopping セブンネットショッピング
セブンネットショッピングでも、母の日・父の日ギフトなど、気持ちを伝える贈りものを、豊富に取りそろえています。
◎2,500円(税込)以上の品(一部商品を除きます)は全国無料配達(または宅配料込)になります。
※2,500円(税込)未満の場合、別途送料をご負担いただきます。また、一部配達できない地域がございます。詳しくは売場係員までおたずねください。 ※一部商品のお届けは、天候などにより前後する場合もございます。 ※掲載商品の色調は、実際と異なる場合もございます。 ※花器のデザインなど掲載商品の仕様の一部を変更する場合もございます。
◎カタログ掲載商品のご予約はサービスカウンター係員までお申し付けください。
◎掲載マークのご説明
冷蔵 クール便・冷蔵でお届けします。 冷凍 クール便・冷凍でお届けします。
※表示価格は本体価格と消費税8%を含んだ税込価格を併記しています。
※花器のデザインは変わることがございます。 ※写真はイメージです。
2

母の日/ばら特集
帝人エンジニアリング(株)製の、光不要の次世代消臭・抗菌剤「テルクリン」加工のアートフラワーです。
テルクリン「ピオニーローズ」
30005-3 4,000円(税込4,320円)
ピオニー、ローズ、ベリー、カーネーション
縦:約25cm 横:約18cm 高さ:約18cm
赤い薔薇のアレンジメントに、ブラウンのフォトフレームを合わせました。落ち着いた魅力のある仕上がりです。
フラワーフォトフレーム(B)
30004-2 5,000円(税込5,400円)
プリザーブドフラワー(バラ4輪)、造花(アジサイミックス)、蝶ピック
※フォトフレームの写真は、付属しておりません。
横:約26cm 高さ:約16.5cm
※花器のデザインは変わることがございます。 ※写真はイメージです。
6

1
カベルネ・ソーヴィニヨンを使用することで、上品な香りとしっかりした味わいのワインに仕上げました。
大和葡萄酒
ベルサイユのばらスパークリング赤
30202-4 2,500円(税込2,700円)
750ml 1本 化粧箱入
2
甲州種とマスカット・ベリーAをブレンドすることで、酸味と果実味あふれる香り豊かなワインに仕上げました。
大和葡萄酒
ベルサイユのばらスパークリングロゼ
30204-6 2,500円(税込2,700円)
750ml 1本 化粧箱入
3
シャルドネと甲州種をブレンドすることで、樽香と果実味のバランスがとれたワインに仕上げました。
大和葡萄酒
ベルサイユのばらスパークリング白
30203-5 2,500円(税込2,700円)
750ml 1本 化粧箱入
4
風味豊かなソーヴィニヨン・ブランを主体にし、適度な酸味と深い味わいのワインに仕上げました。
大和葡萄酒
ベルサイユのばら白
30201-3 1,930円(税込2,084円)
720ml 1本 化粧箱入
配送料別途324円(税込)
5
カベルネ・ソーヴィニヨンを主体にして、葡萄の風味豊かな高級感あるワインに仕上げました。
大和葡萄酒
ベルサイユのばら赤
30200-2 1,930円(税込2,084円)
720ml 1本 化粧箱入
配送料別途324円(税込)
注文締切:5/7(水)まで お届け:5/9(金)~5/11(日)
※5/5(月)までのお申込みに限り、お届け日の指定ができます。
セブンゴールド金のハム2点詰合せは
注文締切:6/8(日)まで お届け:6/13(金)~6/15(日)
※お届け日の指定ができます。
9

母の日/ばら特集
薔薇の花びらをバウムクーヘンに散りばめました。気分も華やぐスイーツです。
カフェ・ド・ヴェルサイユ
バラの花のバウムクーヘン
30211-6 2,750円(税込2,970円)
バラの花のバウムクーヘン(直径約14cm、高さ約4cm)※無農薬食用バラ使用。
※こちらの商品は5/4(日)までの承りとなります。
冷蔵
目指したのは国内最高の味と品質。群馬県産の豚肉を丁寧に熟成した自慢のハムです。
セブンゴールド
金のハム2点詰合せ
30590-0 4,630円(税込5,000円)
金のロースハム340g、金のモモハム390g 冷蔵
こちらの商品は、6/13(金)~6/15(日)のお届けとなります。
※お酒の販売は二十歳以上の方に限らせていただきます。下記の店舗では酒類の取扱いはいたしません。
■イトーヨーカドー花巻店/大宮店/新百合ケ丘店/田無店/■アップルランド全店
※表示価格は本体価格と消費税8%を含んだ税込価格を併記しています。 ※写真はイメージです。
10

初音ミクがまとう
ブランドファッションで
新たな客層を狙う

VANQUISH × 初音ミク

販促ツール

▶ **初音ミクファン(既存の客層ではない男性)/海外からの観光客**

ファッションブランドが展開する女性アーティストとのコラボレーションプロジェクト「VANQUISH VENUS」の第4弾は初音ミクをヴィーナスとして迎えた。6名のイラストレーターが描きおろした初音ミクでプロモーションを展開。ノベルティステッカーの配布、オリジナル楽曲の配信、手に取るとコーディネートイメージが映し出されるインタラクティブなハンガーなど、サプライズな演出で顧客を楽しませた。

ステッカー

コラボイラスト
パーカー

店内ポスター

店内ポスター

せーの［アパレルメーカー Apparel］　CD：石川 涼　AD：岡田喜則　I：so-bin / ざいん / 巌井 峻 / 柳澤康介 / ikura / ビッグエッグ / めーちゃん　DF：SPECIAL FORCE

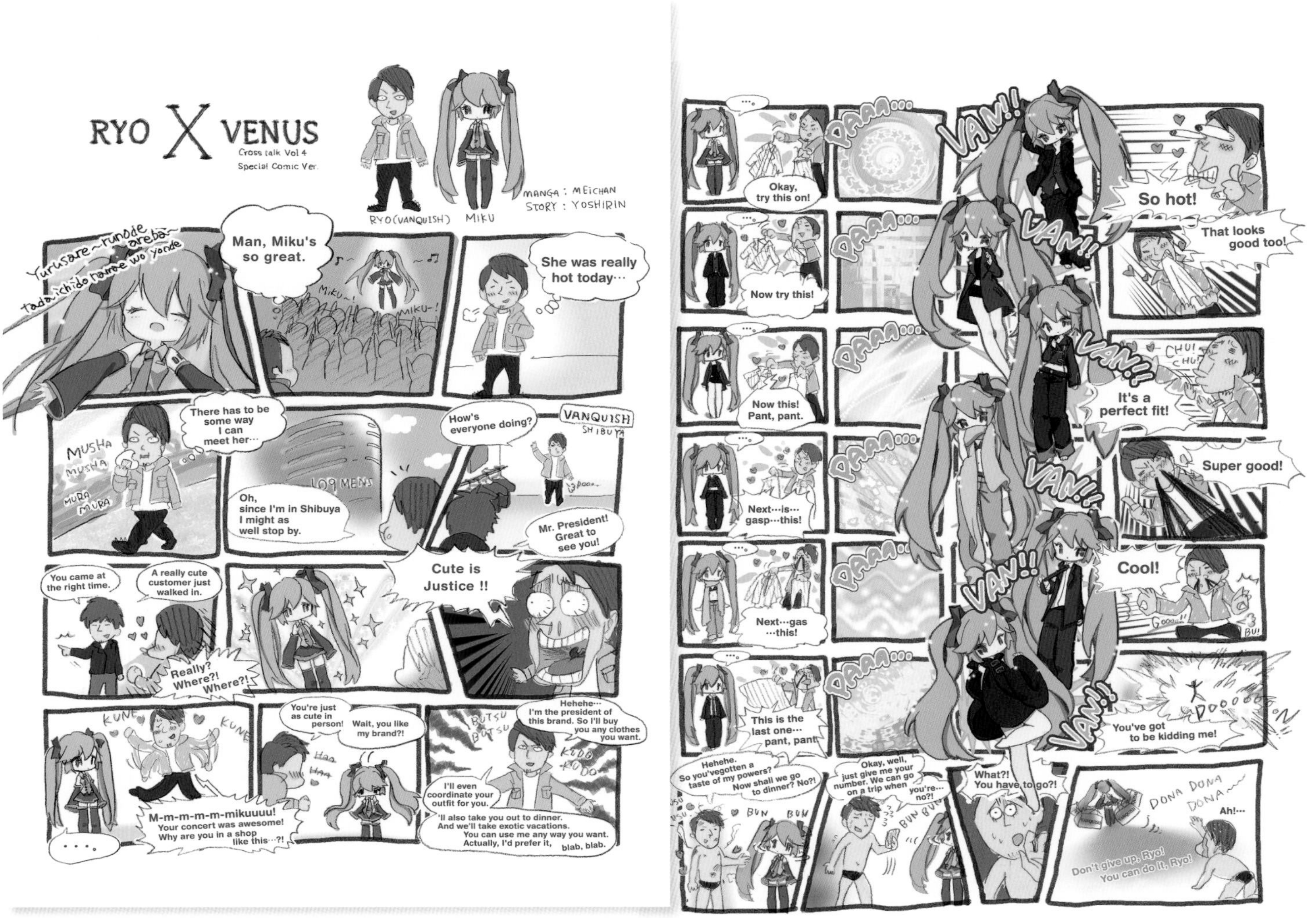

ブランドコミック

MEiCHAN
Please be a sunny day - is something I don't say. My vision is not that cloudy. I'll recognize my Prince Charming when I see him, but it's always raining in front of my face. There's a teru teru bozu (ghost) flipped over next to me. C'mon, give me a lesson. I know you have some spare time...And that's why I can draw. I won't let you call me a subculture girl. I'm praying for a rainy sunday. You can't survive on cuteness alone.

Ryo-Iwai
Sometimes I draw, sometimes I don't.
WORKS
Private
URL
http://ryoiwai.gozaru.jp/

Kosuke Yanagisawa
Illustrator. Freelance after working at a design company. Works cover a wide range including manga, movies, CM, web, advertising.
WORKS
- Open comic for「Private Detective Ryu Makabe」(which is also being adapted into a live action TV drama starring Shosuke Tanihara, in September issue of "Lucky Seven")
- Comics and illustrations for Hotei Tomoyasu's 30th Anniversary Tour Comic「GUITARHYTHM MAN」.
- Honorable Mention in the 237th Shogakukan Big Comic Spirits Awards.
URL
http://k-yngsw.tumblr.com

so-bin
Working as a DTP designer and freelance illustrator.
WORKS
- Written by Kugane Maruyama [Overlord 1 Immortal King] (Book Illustrations)
- Kuniaki Takenaga album jacket illustration
etc...
URL
http://djsoubin.blog44.fc2.com/

アメコミテイスト＋今の旬でセレクトショップをPR

HUMOR SHOP by A-net　ポスター / Tシャツ

▶ オシャレ感度が高い10代後半〜30代後半の男女

ファッションに関心の高い10代後半から30代後半の男女をターゲットにしたセレクトショップの広告と限定Tシャツ。商品の魅力を強化し印象的に見せるため、イラストという手法を選ぶことにより、オシャレの楽しさを伝えるインパクトあるヴィジュアルを完成させた。古き良き時代のアメリカの広告を彷彿とさせる手描きのイラストに今の時代のムードとブランドの世界観をプラスした。

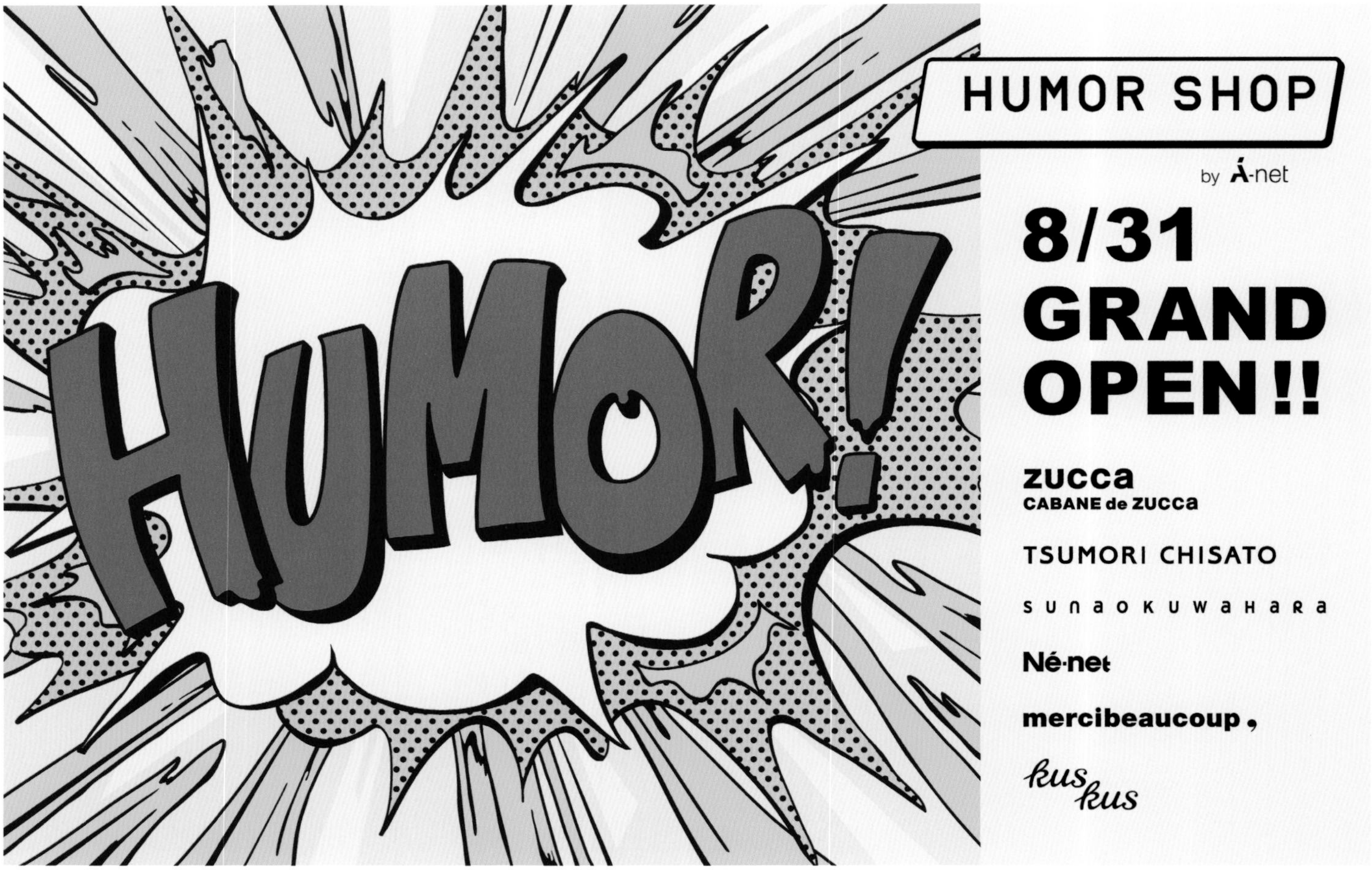

HUMOR!

HUMOR SHOP
by Á-net

8/31
GRAND
OPEN!!

zucca
CABANE de ZUCCA
TSUMORI CHISATO
sunaokuwahara
Né-net
mercibeaucoup,
kus kus

エイ・ネット［アパレルメーカー Apparel］　CD：須藤 仁（HUESPACE INC.）　AD：臼井桃子（HUESPACE INC.）　D, I：須藤 俊（HUESPACE INC.）　DF, SB：HUESPACE INC.

マンネリ化打破！漫画風デザインで斬新な「土産物」に

おもしろ吹き出しクリアファイル　クリアファイル

▶ 観光客

京都・東山の清水にあるユニークな雑貨や菓子などを扱う土産店によるオリジナルクリアファイル。吹き出しや効果線を使用し、インパクトあるマンガ風のタッチでデザインされている。「おおきに」「はんなり」などの京都弁をコミカルに表現することで、伝統的な土地の雰囲気を裏切る、意外性の面白さを生んでいる。マンネリ化しがちな京都土産と、一線を画す話題の製品となっている。

クリアファイル裏面
（デザインは5種類共通）

栄山堂［雑貨販売 Variety shop］　SB：栄山堂

オリジナルキャラクターで TOWERanime 新宿をPR

タワーレコード

ポスター / ステッカー / クーポン

タワーレコード新宿店のリニューアルオープンにあたり、アニメコーナーを大幅に拡張し「TOWERanime 新宿」として生まれ変わった。その際、5人のオリジナルキャラクターが登場し、TOWERanime 新宿のPRを努めることとなった。同店のお馴染みのコーポレートボイスにちなみ「NO ANIME, NO LIFE」を掲げ、ブランドカラーのイエローとレッドを踏襲しつつ、キャラクターを融合させた販促ツールを展開した。

ポスター

タワーレコード［CDショップ CD store］ I：ヤスダスズヒト SB：タワーレコード

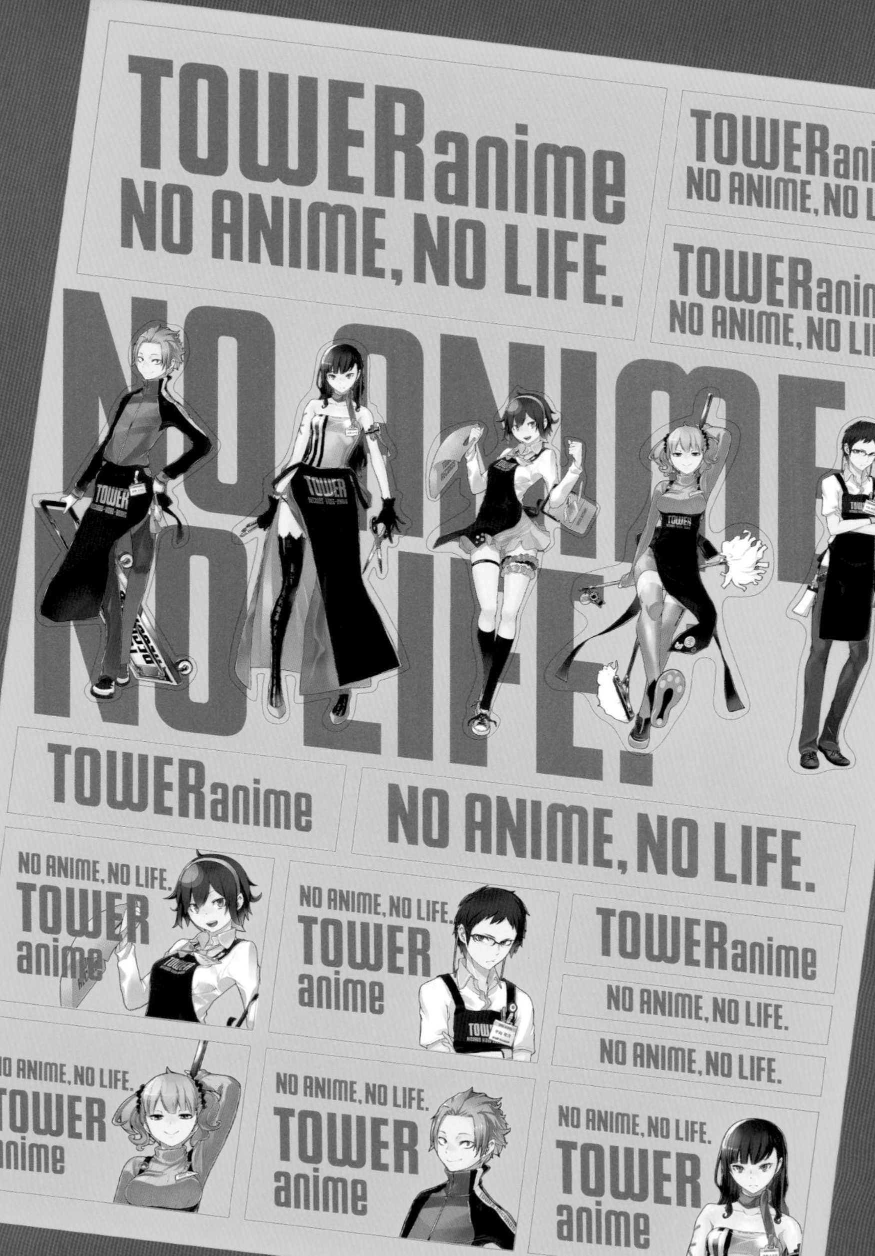

TOWERanime
NO ANIME, NO LIFE.
TOWERanime
NO ANIME, NO LIFE.
TOWERanime
NO ANIME, NO LIFE.
NO ANIME NO LIFE!
TOWERanime
NO ANIME, NO LIFE.
NO ANIME, NO LIFE.
TOWER
anime
NO ANIME, NO LIFE.
TOWER
anime
TOWERanime
NO ANIME, NO LIFE.
NO ANIME, NO LIFE.
NO ANIME, NO LIFE.
TOWER
anime
NO ANIME, NO LIFE.
TOWER
anime
NO ANIME, NO LIFE.
TOWER
anime
©TOWER RECORDS ©ヤスダスズヒト

ステッカー

NO ANIME, NO LIFE.
TOWER
anime
NO ANIME, NO LIFE.
TOWER
anime

アニメ・ラブ!
2014.5.17(土) TOWERanime 新宿 誕生
TOWER RECORDS
¥300OFF COUPON

アニメ・ラブ!
2014.5.17(土) TOWERanime 新宿 誕生
©TOWER RECORDS
©ヤスダスズヒト
TOWER RECORDS
¥300OFF COUPON

アニメ・ラブ!
2014.5.17(土) TOWERanime 新宿 誕生
©TOWER RECORDS
©ヤスダスズヒト
TOWER RECORDS
¥300OFF COUPON

アニメ・ラブ!
2014.5.17(土) TOWERanime 新宿 誕生
©TOWER RECORDS
©ヤスダスズヒト
TOWER RECORDS
¥300OFF COUPON
アニメ・ラブ!
2014.5.17(土) TOWERanime 新宿 誕生
TOWER RECORDS
¥300OFF COUPON

クーポン

ドラマ出演者と劇中漫画のコラボレーションでDVD発売を告知

「泣くな、はらちゃん」DVDボックス

DVDボックス / 駅貼りポスター

テレビドラマ「泣くな、はらちゃん」のDVDボックス発売記念として、渋谷駅に掲出された広告。放送当時からのファンだけでなく、ドラマを知らない人たちにも周知を広めるため、劇中に登場した架空の漫画をそのまま掲載し作品の世界観を伝えた。出演者の背景にも漫画のイラストを描き、主人公が漫画の世界から飛び出してきたかのようなイメージにし、作品への興味を喚起させることを狙った。

DVDボックス

VAP［映像・音楽ソフトメーカー Video & Music software］　SB：VAP

泣くな、はらちゃん
DVD&Blu-ray BOX
2013年7月24日発売
DVD-BOX
Blu-ray BOX

おまけ

泣くな、はらちゃん
DVD&Blu-ray BOX
2013年7月24日発売
7月24日発売
DVD-BOX
Blu-ray BOX
★特典ディスク
★96Pブックレット

連貼り全形

泣くな、
はらちゃん
DVD&Blu-ray BOX
2013年7月24日発売

漫画の世界に住む一人の男が、
「現実」の女性に恋をした・・・・・・。
越前さんの漫画ノート
おまけ漫画 全8話
+
おまけのおまけ付き

7月24日発売
DVD-BOX
¥18,060(税込)
Blu-ray BOX
¥23,100(税込)
DVD&Blu-ray BOX 共通特典
★特典ディスク
『メイキング映像』
〈クランクイン・撮影の舞台裏〜かまぼこ工場編〜・漫画世界〜居酒屋編〜・はざまの世界〜CG〜・劇中歌
私の世界・漫画〜ビブオさん〜・クランクアップ〉
『ノンクレジットタイトルバック』
★96Pブックレット
「泣くな、はらちゃん」
オリジナル・サウンドトラック
音楽：井上鑑 VPCD-81763 ¥2,500(定価)
©NTV

漫画の世界に住む一人の男が、
「現実」の女性に恋をした・・・・・・。
越前さんの漫画ノート
おまけ漫画 全8話
+
おまけのおまけ付き
OX
Blu-ray BOX
¥23,100(税込)
DVD&Blu-ray BOX 共通特典
★特典ディスク
メイキング映像
ノンクレジットタイトルバック
★96P
ブックレット
「泣くな、はらちゃん」
オリジナル・
サウンドトラック

ええ!?
そのかまぼこってのはよ
大体そもそも何なんだよ
くえるのか！
はい
うまいのか!!
はい
何しろ神様の世界の食べ物ですからね
それはもう涙が出るくらいです
ヘッ
涙だってよ！
それはかまぼこを食べてないから言えるんですよ
ふっ
笑いおじさんだって、実際に食べたら
うううう うまい〜!
ってなるに決まってるんですから
つづきはBlu-ray&DVDブックレットで。
1-4

あっくんも惜しい！ ちょっと小さ過ぎましたね！
ユキ姉は何をしたんですか！
そうだ そうだ 分かるか こんなもん
そうですか…

架空のマンガが描かれたジャケットで世界観を伝える

上坂すみれ「げんし、女子は、たいようだった。」初回生産限定盤

CD

アニメ「げんしけん」の主題歌であり、その楽曲とキャラクターの声優を担当した上坂すみれのCDジャケット。デザイナーは「げんしけん」の世界観を彷彿とさせるデザインを心がけ、ジャケット写真の背景には、上坂すみれをモデルとした架空のマンガを配置し、アニメとの連動性を持たせた。

ジャケット表

ジャケット裏

KING RECORD［映像・音楽ソフトメーカー Video & Music software］ AD：針谷建二郎（ANSWR） D：本忠 学（ANSWR） I：国道13号 P：神藤 剛 LogoDesign：堀内 秀（ANSWR） スタイリスト：佐野夏水 ヘアメイク：双木昭夫 プロダクションマネージャー：司馬香里（ANSWR） SB：ANSWR

Manufacturing / Communications / Services etc.

知名度抜群の名作漫画で新プリンタの認知度UPを狙う

PRIVIO × あしたのジョー　ポスター / カタログ / CM

▶ 40代以上のプリンタ新規または、買い替え層

小規模オフィスでのプリンタの導入を検討・決定する人、あるいは家庭で年賀状を作成する父親を具体的な販売対象とし、40代以上の特に男性の心に刺さるキャラクターとして『あしたのジョー』を選んだ。キャラクターでターゲットの気持ちを掴みつつ、今の時代にマッチする「洗練されたおしゃれさ」や「ユーモア」を醸し出すため、色彩豊かなポップなデザインとした。

ポスター

ブラザー販売［情報機器製造 Information equipment］　CD：尾崎敬久　AD：加藤寛之　CMプランナー，CW：和田佳菜子　プロデューサー：河西正勝　プロダクションマネージャー：福住祥明　ディレクター：川北亮平　アニメーション制作：TMS　コンピューターグラフィックス：山浦 正裕　エディター，仮編集：遠藤文仁　本編集：都 大輔　ミキサー：牧田祥悟　サウンドエフェクト：望月久美子

カタログ

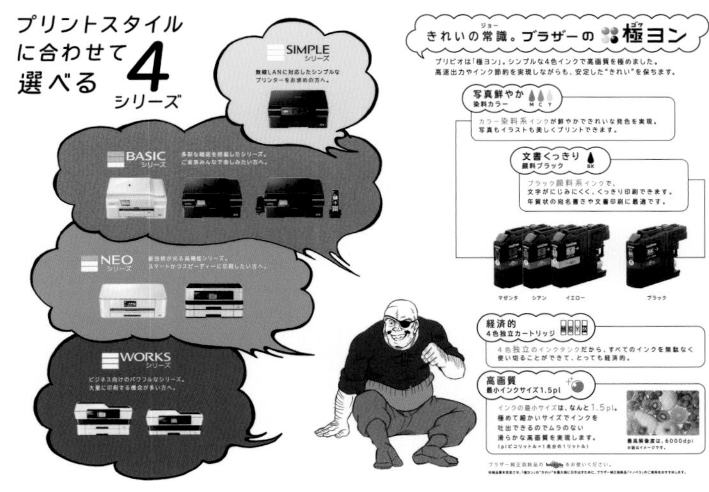

ナレーター，声優：あおい輝彦 / 山崎弘也　音楽制作：ミスターミュージック
音楽プロデューサー：福島 節　SB：ブラザー販売

brother
PRIVIO

CM

ワシャーッ
高速プリント

ビジネス応援祭
2014.1.10-4.25
ブラザーのA3インクジェット

©高森朝雄・ちばてつや／講談社・TMS

A
練習生募集!
3

あしたの常識（ジョー）
プリンターに、第3の選択肢。
PRIVIO

作風が真逆の
漫画家コラボで
ユーザーの期待感を促す

おそうじ浴槽　ポスター / 雑誌広告

▶ 家事に仕事に子育てに忙しい30代女性

スイッチ1つで浴槽を自動洗浄する「おそうじ浴槽」のリニューアル広告。家事の分担で揉めがちな“おふろそうじ”から開放された夫婦の喜びと感動を、before（花くまゆうさく作画）/ after（池田理代子作画）形式で分かりやすく表現。「おそうじ夫婦」というキャラクターの「華麗なる変身」で、面倒だった“おふろそうじ”の時間がワクワク楽しい時間に変わることを端的に表現した。

暮し、変身！「おそうじ浴槽」

エコ＊
リラ＊
キレイ
Ecology_Relax_Clean&Beauty.

さよなら、おふろ洗い！

ボタンひとつで
おフロそうじを
おまかせ

ゴシゴシ
しなくても大丈夫
いつもキレイ

1回の洗浄で
約19円だから
毎日でも安心

新しい幸せを、わかすこと。
NORITZ

ノーリツ［住宅設備メーカー Housing equipment］　CD, CW：川口 修　AD：中元ゲン　D：更家有香　I：池田理代子 / 花くまゆうさく
企画制作：電通西日本神戸支社 / 電通クリエーティブX 関西支社　SB：ノーリツ

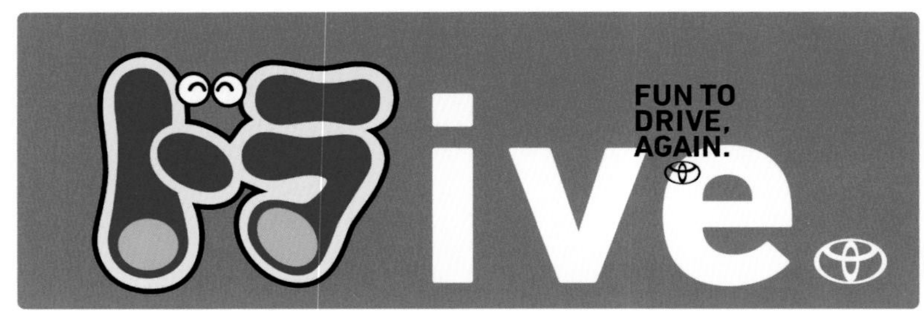

トヨタ × ドラえもん

駅貼りポスター

▶ 20〜30代のクルマ低関心層。passoは20〜30代女性

未来のクルマは「ドラえもん」のような存在になりたいというトヨタの意思をストレートに表現。20年後ののび太を、クルマに関心が低いターゲットの等身大の姿として描き、のび太が免許を取ってクルマを運転し、仲間たちと様々な経験をすることで、クルマの楽しさを伝えている。またpassoでは、前向きに自分を磨き続ける芯の強いしずかちゃんの姿を、現代の女性の象徴として捉え、女性の共感を狙った。

トヨタマーケティングジャパン ［自動車メーカー Automotive constructor］ CD：佐々木 宏（シンガタ） AD：佐野研二郎（MR-DESIGN） D：村上雅士（MR-DESIGN）
P：瀧本幹也（瀧本幹也写真事務所） AE：井上 亘（電通）/ 関 健太郎（電通） キャラクター管理：藤子プロ / アサツーディ・ケイ アニメーション：シンエイ動画 SB：トヨタマーケティングジャパン

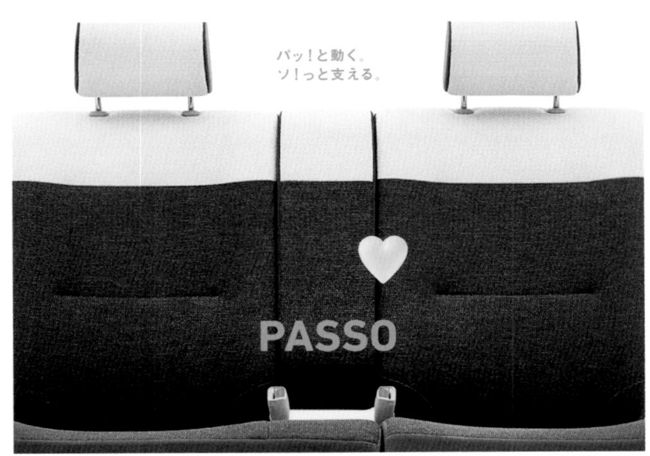

PASSO SHIZU-CAR

【passo】CD：佐々木 宏（シンガタ） AD：浜辺明弘（WATCH） CW：太田恵美（太田恵美事務所） P：高柳 悟（高柳悟写真事務所）
AE：神野泰光（電通）／古井由里子（電通） SB：トヨタマーケティングジャパン

いクオリティの
Mが若年層を中心に
EB上を席巻！

「NEXT A-Class」

▶ 30～40代を中心とした従来メルセデスに興味を持っていなかった層

メルセデス・ブランドとして世界初のアニメーション作品で、新規顧客層をターゲットにし
「新型Aクラス」の魅力を訴求。キャンペーンタイトル「NEXT A-Class」の「NEX
新しい車の楽しみ方をメルセデスが切り拓いていくという意思を込め、近未来の東京
ニメを制作。ブランドイメージを一新し、若年層に向けて発信した。

NEW A-Class
Debut!

ポスター

[自動車メーカー Automotive constructor]　企画・原案・監修：佐藤夏生 / 伊藤 聡　監督：西久保瑞穂　脚本：谷村大四郎　キャラクターデザイン：貞本義行

オリジナルアニメーション
近未来の東京を舞台にひょんなことから知り合った3人がメルセデスの新型Aクラスに乗り、幻のラーメン屋台トラックを追いかけカーチェイスを繰り広げる。約6分におよぶハイクオリティの本格アニメーション

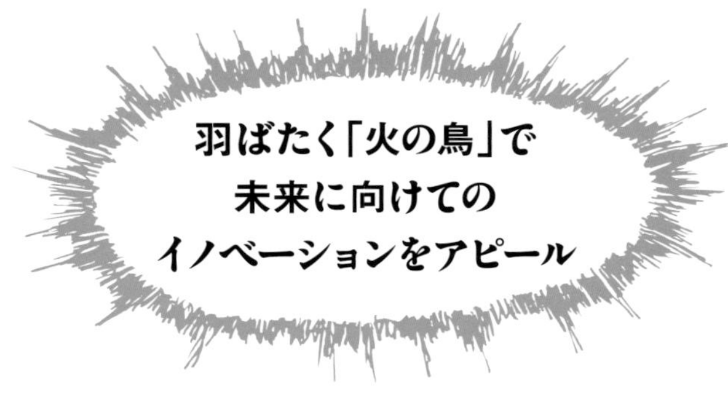

日立製作所 × 火の鳥　新聞広告

▶ 日本国内のステークホルダー全般

企業理念に基づいて、日本に、そして世界中にイノベーションを起こし、ひとびとが暮らしやすい豊かな社会の構築に貢献していくことを、新年の始まりに宣言する日立製作所の新聞広告。手塚治虫の「火の鳥」が誌面いっぱいに大きく羽ばたく構図やキャッチコピーなど、元旦にふさわしい明るく力強い広告制作を意識し、視覚に直接訴える効果を狙った。

国境を越えて、分野を超えて、新しい地球の暮らしを届けたい。
一人ひとりをどこまでも思う、そんな情熱を翼にして。
水不足、エネルギー問題、都市環境、そして、これから私たちが直面しうるいくつもの課題。
日立はインフラ技術とITで、その一つひとつに答えを出し、社会に新たな価値を創造していきます。
これまで日本で築いてきた技術を、世界で暮らす人々の声で進化させるのです。
私たちがめざす理想。それは、一つでも多くの国や地域に暮らす、
一人でも多くの人を笑顔にし続けていくことだから。
いま、世界中の日立グループでつくるイノベーションが、大きく羽ばたきます。

©Tezuka Productions

Innovation from JAPAN

www.hitachi.co.jp

HITACHI
Inspire the Next

©手塚プロダクション

日立製作所［電機メーカー Electric machine manufacture］　CD：勝田泰二（電通）　AD：榊 良祐（電通）/ 嶋田真之介（電通）　CW：小澤裕介（電通）/ 鈴木晋太郎（電通）　D：大友 淳（ジェ・シー・スパーク）
I：手塚プロダクション　SB：日立製作所

人気漫画のキャラを新たなマスコットに転用しお茶の間にデビュー

エネファーム × 天才バカボン　新聞広告

▶ 30～50代男性を中心とする幅広い層

家庭用燃料電池「エネファーム」をPRするために、『天才バカボン』の「ウナギイヌ」をモチーフとしたオリジナルキャラクター「電気ウナギイヌ」を起用。キャラクターの親しみやすさにより、幅広い層のお客さまの注目・興味喚起を促し、都市ガスを使って「自宅で電気をつくる」という商品特徴を分かりやすく伝達。とぼけたマスコットとしてお茶の間へ印象的にアピールした。

©Fujio Akatsuka

発電と、節電は、
なかよしだ。

お問い合わせ 資料請求　0120-593039　東京ガス エネファーム　検索

受付時間 / 月曜～土曜（祝日除く）9:00～19:00
[7月1日以降] 月曜～土曜（祝日除く）9:00～19:00 日曜・祝日9:00～17:00

エネルギー・フロンティア TOKYO GAS

●ここでいう「節電」とは、エネファームが都市ガスを燃料に発電することにより、電力会社からの購入電力を減らせることを意味しています。●東京ガスの家庭用燃料電池「エネファーム」の設置は東京ガス供給エリア内に限定されています。●写真はイメージです。実際の設置とは異なります。●家庭用燃料電池「エネファーム」は補助金対象商品です。詳しくはお問い合わせください。

ガ、スマート!

©Fujio Akatsuka

東京ガス［ガス事業 Gas］　CD：澤本嘉光　AD：田中 元 / 小松崎 舞　D：姉帯寛明　CW：小川 祐人　SB：東京ガス

Cannondale × 弱虫ペダル GRANDE ROAD

ポスター

自転車ロードレースを題材にした渡辺航原作の大人気アニメ「弱虫ペダル GRANDE ROAD」と、創業当時から革命的な技術で自転車界をリードしてきたブランド「キャノンデール」が実施したコラボレーションキャンペーン。対象商品購入で、作中でキャノンデールのロードバイクを愛用するキャラクター、手嶋純太の描き下ろしイラストポスターがプレゼントされた。

JUNTA TESHIMA x
SUPERSIX EVO ULTEGRA

弱虫ペダル
GRANDE ROAD

SUPERSIX EVO ULTEGRA

FRAMESET: SuperSix EVO, BallisTec Carbon, SPEED SAVE
WHEELSET: Mavic Aksium S WTS
CRANKSET: HollowGram Si, BB30. 52/36
GROUP: Shimano Ultegra
COCKPIT: Cannondale C2
SIZES: 44, 48, 50, 52, 54, 56, 58cm
COLOR: Berserker Green w/ Jet Black and Magnesium White, Gloss (07)

APPAREL / ACCESSORY

Tops: Cannondale Pro Cycling Team Pro Jersey
Bottoms: Cannondale Pro Cycling Team Bib Shorts
Gloves: Cannondale Pro Cycling Team Classic Gloves
Socks: Cannondale Pro Cycling Team Coolmax Socks
Helmet: Cannondale Cypher

© 渡辺航（週刊少年チャンピオン）
/ 弱虫ペダル GR 製作委員会

cannondale

©渡辺航（週刊少年チャンピオン）／弱虫ペダルGR製作委員会

Cannondale［自転車メーカー Bicycle manufacture］　作画：堀内博之　彩色：田尻佳奈子　SB：キャノンデール

注目度抜群の
コミカルなデザインで
ユーザー増加を目指す

JRA-VAN

ポスター

競馬情報の配信、競馬予想に役立つデータを提供するWEBサービス「JRA-VAN」の広告。カラフルな世界観で知られるアーティスト、ファンタジスタ歌磨呂氏が手がけたポスターデザイン第二弾。「データでケイバが走りだす!」というコピーのとおり、キュートなキャラクターがモバイル機器を片手に、躍動感溢れる効果音とともに走り抜ける。

JRA-VAN［情報サービス Information Service］ AD, D, SB：ファンタジスタ歌磨呂 I：清水空翔

熱血キャラで心をつかみ ネガティブなイメージを払拭

サノヤスホールディングス

CM / ポスター

▶ 岡山在住の高校生や大学生

岡山市で造船業を営む企業によるリクルートを目的とした広告。学生をターゲットとしているため、若い世代の心に刺さる手法としてオリジナルアニメを制作した。同時に、造船業界への従来からあるイメージの払拭も目指した。グラフィックは、オリジナルキャラクターと、必要最低限に抑えたコピーでバランスを取り、マンガの1ページを想起させる簡潔ながら興味をそそる仕上がりとなっている。

ポスター

CM

サノヤスホールディングス［造船業 Shipbuilding］ CD, PL：中尾孝年 AD, I, PL：藤井 亮 CW：松下康祐 アニメーター：田中紫紋

お前のそのエネルギー、造船にぶつけてみな！
造船番長
サノヤス・ヒシノ明昌
サノヤス・ヒシノ明昌

グローバルとか、インターナショナルとかの、約70％は海だ！
くわっ
新入社員募集！
サノヤス造船株式会社
Sanoyas Shipbuilding Corporation
http://www.sanoyas.co.jp/
若者よ、敷かれたレールの上なんて走るな！
くわっ
新入社員募集！
サノヤス造船株式会社
Sanoyas Shipbuilding Corporation
http://www.sanoyas.co.jp/

ポスター

造船番長
サノヤス・ヒシノ明昌
確かな技術でものづくり まごころこめて次の世紀へ

社名
Sanoyas サノヤス・ヒシノ明昌

CM

街はキラめく TRENDY SHIP

造船係長
Sanoyas
ああ ZOUSEN-KAKARICHO

レジャー設備事業
L·O·V·E
あなたと造る

Sanoyas
一緒に造る

誰にも止められない

Hawaii
ZO·U·SE·N

建設用エレベータ事業
ZO·U·SE·N

制 作
サノヤス造船株式会社
サノヤス造船 Get Your Heart

名作を実写版で復活 幅広い層への インパクトを狙う

「NURO DEVILMAN」NURO 光 × デビルマン

ポスター

▶ 30代以上の男女

悪魔と合体しながらも人間としての心を保持し、その悪魔的な力を有することができたデビルマン。世界最速インターネットNUROの活用も「その人次第」、という点での親和性で起用。ドイツ・オペラ調に編曲した「デビルマンのうた」に乗せた実写版CMやWEBでの展開を図る。「NURO 光」が持つサービスの格上感を描くモノトーンの上質な世界観が、視聴者にインパクトを与えた。

※世界最速は、NURO光によるサービスです。※個人宅向け商用FTTHサービス市場で世界最速となります（Informa Telecom & Media 2013年4月時点調べ）。※NUROネットワークと、提供する宅内装置間への最大速度です。※実行速度はお客様のご利用環境等により異なります。※サービスは一都六県となります（地域によりご利用出来ない場合があります）。

ソネット［通信 Telecommunications］【AGENCY】CD：石川英嗣（石川広告制作室） CD，プランナー，CW：高崎卓馬（電通） AD：高橋秀明（電通） AE：植村康正（電通） クリエイティブプロデューサー：川島奈緒子（電通）
【PRODUCTION】プロデューサー：小澤祐治（ギークピクチュアズ）/ 中曽根広樹（ギークピクチュアズ） プロダクションマネージャー：小林勇介（ギークピクチュアズ）/ 西沢陽子（ギークピクチュアズ）
【CMスタッフ】演出：前田良輔（宗事務所） 撮影：瀧本幹也（瀧本幹也写真事務所） 照明：藤井稔恭 美術：桑島十和子（サムシングエルス） 録音：山口順一郎 ロケコーディネーター：高橋 亨（すべ～す百科）

GO NAGAI / DYNAMIC PLANNING　nuro.jp

※世界最速は、NURO光によるサービスです。※個人宅向け商用FTTHサービス市場で世界最速となります（Informa Telecom & Media 2013年4月時点調べ）。※NUROネットワークと、提供する宅内装置間への最大速度です。※実行速度はお客様のご利用環境等により異なります。※サービスは一都六県となります（地域によりご利用出来ない場合があります）。

NURO DEVILMAN © GO NAGAI / DYNAMIC PLANNING　nuro.jp

※世界最速は、NURO光によるサービスです。※個人宅向け商用FTTHサービス市場で世界最速となります（Informa Telecom & Media 2013年4月時点調べ）。※NUROネットワークと、提供する宅内装置間への最大速度です。※実行速度はお客様のご利用環境等により異なります。※サービスは一都六県となります（地域によりご利用出来ない場合があります）。

NURO DEVILMAN © GO NAGAI / DYNAMIC PLANNING　nuro.jp

スタイリスト：白山春久（白山春久事務所）　マスクデザイン：柘植伊佐夫（SENJUYA）　ヘアメイク：松岡象一郎（ジーエム）　キャスティング：菅野陽一（電通キャスティング）
仮編集：小池義幸（リクリ）　MA：野村 弘　SE：中野豊久　本編集：長島正弘（レスパスビジョン）　【GRスタッフ】撮影：広川泰士（広川写真事務所）　美術：柳町建夫（グラスロフト）
ロケコーディネーター：中井睦浩（カウンタック）　デザイン：杉浦 豊（アドブレーン）/ 長谷康平（アドブレーン）　レタッチ：桜井素直（スカブ）

ジャパンネット銀行 × 銀河鉄道999

ポスター

「銀河鉄道999」のキャラクターを起用したジャパンネット銀行の広告。同作品は、1977年に連載を開始した松本零士氏の代表作。テレビアニメや劇場版としても大ヒットした言わずと知れた名作である。作品のテーマである「可能性」がネット銀行の理念と一致することから採用を決めた。手続きの手軽さ、顧客の資金ニーズに応える同行のサービスの認知と利用拡大を狙った。

ジャパンネット銀行［金融業 Finance］　CD：高橋和也　AD：今村 浩
CW：橋本 新 / 小野剛史　AE：比嘉健太 / 金子花菜
プリンティングディレクター：熊野雄介
企画制作：電通 / 電通オンデマンドグラフィックス　SB：ジャパンネット銀行

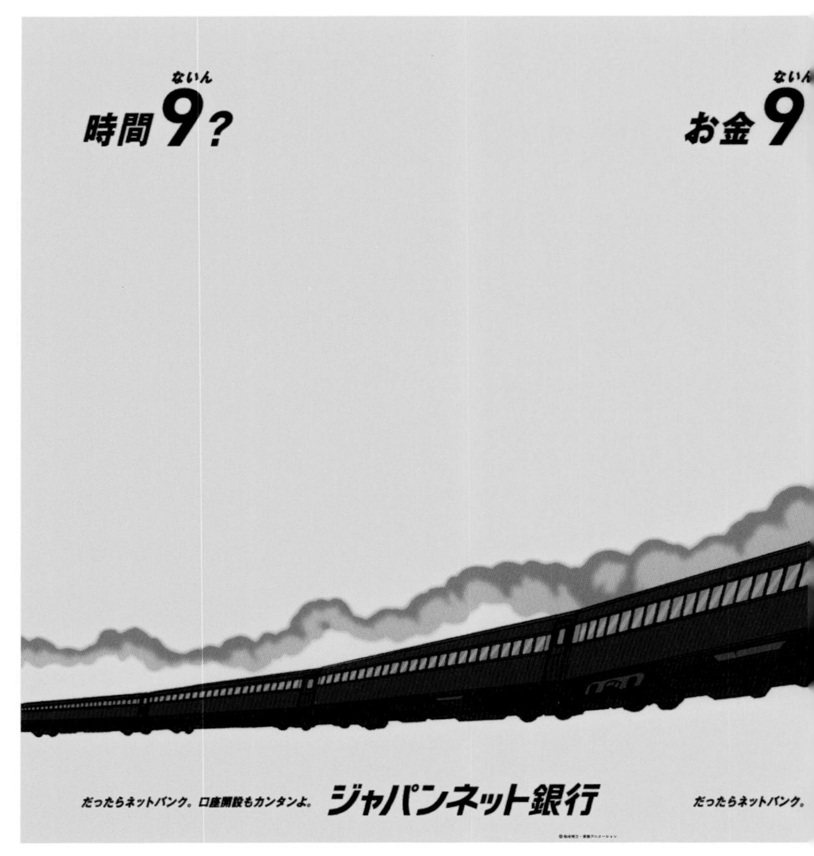

NTT docomo
手のひらに、明日をのせて。
データ通信カタログ 2012.3

NTT docomo
手のひらに、明日をのせて。
データ通信カタログ 2012.6

いいこと9（ないん）？

ただの銀行じゃない。
我々はネット専業銀行だ。

Not, Bank.
Net Bank.

ジャパンネット銀行

だったらネットバンク。ボートレースも楽しめちゃう。ジャパンネット銀行

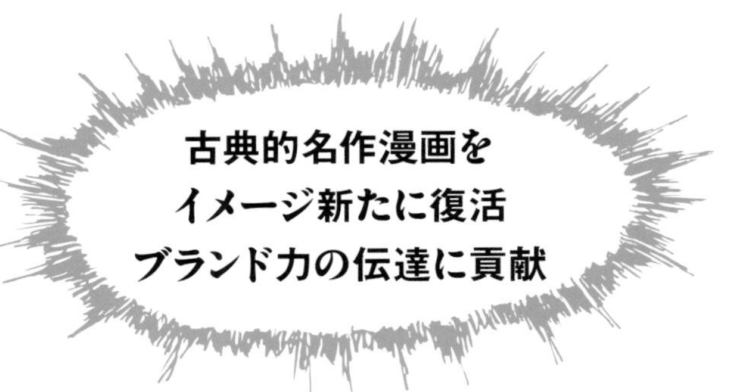

docomo データ通信 × 鉄人28号 カタログ

▶ 外でPCを使うビジネスマン
自宅でタブレットやゲーム機を思いっきり楽しみたいファミリーなど

形のない商品であるデータ通信の「カバーエリアの広さと通信の安定さ」という特性を訴求するため、TVCMではPC操作で動く鉄人28号をフルCGで制作、グラフィックはボディを金色に加工し迫力あるビジュアルに仕上げた。鉄人28号の持つパワフルさや安心感は、ドコモブランドのイメージに近く、またキャラクターを使用することでサービスへの親しみとメジャー感を醸成することに成功した。

NTTドコモ［通信 Telecommunications］　企画制作：TUGBOAT / TUGBOAT2 / NTTアド / 電通
CD：多田 琢（TUGBOAT）　AD：加藤建吾（TUGBOAT2）　CW：道面宜久（TUGBOAT2）
D：今井 徹（TUGBOAT2）/ 草野 剛（TUGBOAT2）　プロデューサー：三ツ橋憲司（TUGBOAT2）
SB：NTTドコモ

著名キャラクター競演！
幅広い層への
興味・認知を促す

「カケホーダイ＆パケあえる」× ちびまる子ちゃん/ おそ松くん / 名探偵コナン　屋外広告

▶オールターゲット

ドコモの新料金プラン訴求において、ユーザーの興味を喚起し、さらに深い内容理解まで到達させるための具体的な手段として、幅広い層に受け入れられるよう複数の著名キャラクター・コンテンツを起用。キャラクターの家族構成や個性を活用し、端的なコピーでプランの内容を告知。多くのユーザーが親しみやすさとわかりやすさを感じる広告を展開。同シリーズには「リカちゃん」バージョンもある。

NTT docomo
スマートライフのパートナーへ。

ひとつのパケットを家族で分けあえる！

パケあえる

ちびまる子ちゃん

ドコモの新料金「カケホーダイ＆パケあえる」登場！

条件など詳しくは　ドコモの新料金

NTTドコモ［通信 Telecommunications］　CD：並木 温　AD：岩下 智／太田久美子　CW：中川英明／江畑 潤　DF：たき工房　SB：NTTドコモ

docomo
スマートライフのパートナーへ。
25歳までずっとおトク！
U25応援割
おそ松くん
ドコモの新料金「カケホーダイ＆パケあえる」登場！
条件など詳しくは ドコモの新料金

docomo
スマートライフのパートナーへ。
国内通話が完全かけ放題※に！
カケホーダイ
ドコモの新料金「カケホーダイ＆パケあえる」登場！
条件など詳しくは ドコモの新料金

docomo
スマートライフのパートナーへ。
そうさ！若者を
応援してくれる割引だよ！
おそ松くん
ドコモの新料金「カケホーダイ＆パケあえる」登場！
条件など詳しくは ドコモの新料金

docomo
スマートライフのパートナーへ。
誰とでも、
何回でも、
何時間でも！
ドコモの新料金「カケホーダイ＆パケあえる」登場！
条件など詳しくは ドコモの新料金

docomo
スマートライフのパートナーへ。
若い人は、
毎月ずっと
おトクなの？
おそ松くん
ドコモの新料金「カケホーダイ＆パケあえる」登場！
条件など詳しくは ドコモの新料金

docomo
スマートライフのパートナーへ。
そう、
ケータイからでも
かけ放題さ！
ドコモの新料金「カケホーダイ＆パケあえる」登場！
条件など詳しくは ドコモの新料金

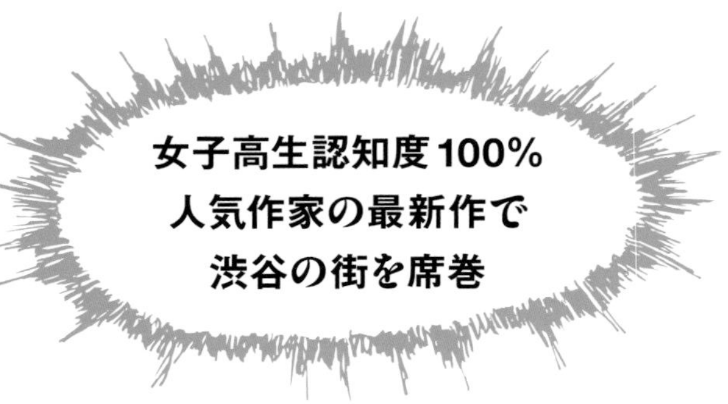

「クリプレダケの応援学割」NTTドコモ × カノジョは嘘を愛しすぎてる　屋外ポスター

▶ 中・高・大生中心の女性

若年層への接触メディア＆コンテンツとして、マンガ作品とのタイアップを企画。人気作家の最新作とのコラボ企画を楽しむ中で、自然にドコモの応援学割に触れさせ、キャンペーン内容の認知促進・興味喚起を目指した。屋外ビジョン映像やポスターのみならず、掲載誌でのコラボ広告、また作中にも連動した内容を盛り込むなど、マンガとリアルとWEBを連動させて展開し、話題性を狙った。

NTTドコモ［通信 Telecommunications］　広告代理店：電通　企画・制作：畑中雅美（小学館「Cheese!」編集部 副編集長）　WEBサイト制作：鈴木 淳（トライヘッド［trihead 3+］）　動画制作：幸野孝彦（凸版印刷）　ポスター制作：高橋延幸（フィッシュオール）　SB：NTTドコモ

他のCMに埋没しない オリジナルアニメで 不動産・賃貸をPR

ミニミニ　WEB / オリジナルアニメーション / パンフレット

▶ M1層

不動産・賃貸仲介業ミニミニのオリジナルアニメーションCMとWEBサイト。ターゲットとなるのは、M1層を中心に進学、転居・就職、転勤と部屋探しをする人々。CMは一人暮らしを経験しながら成長していく若者たちのストーリー。タレントに頼らずとも関心を惹きつつ、SNSでの拡散も考慮し他のCMに埋没しない表現手法としてアニメを選んだ。店舗配布用のパンフレットにはアニメ制作秘話も盛り込まれている。

WEB

オリジナルアニメーション

東京への転勤が決まった主人公。先に東京で暮らす幼なじみと一緒に部屋さがしをはじめるまでの騒動を描いた150秒のストーリー

来店者向けパンフレット

ミニミニ［不動産 Real estate］　【CM】CD, CW, CMプランナー：加藤英明（ADK）CW, CMプランナー，ディレクター：多賀清二　AE：市川大記（ADK）　CMプランナー：村木隆司（minimini）/ 大原秀基（minimini）
プロデューサー：伊藤公二　アニメーション：白組　編集：佐藤和彦 / 丹羽健二（Zaxx）　MA：岩田典子（アオイスタジオ）　音効：坂口浩也(スタジオ ガレージ)　声優：岡本信彦 / 緑川 光 / 伊藤 静 / 水橋かおり　SB：ADK
【WEB・パンフレット】企画・監修：村木隆司（minimini）/ 大原秀基（minimini）　WEBデザイン・制作：伊藤沙苗（全国書籍出版）　パンフレット編集：松原輝幸（全国書籍出版）
パンフレット編集デザイン：清水麻智子（全国書籍出版）　パンフレット撮影：坂井真海（全国書籍出版）　SB：全国書籍出版

人気漫画のパロディで
専門的なファクトを
徹底的に解説

「ホワイトジャックによろしく」ソフトバンクモバイル ×
ブラックジャックによろしく WEB

▶ IT・携帯電話に関与が高くない人も含めたオールターゲット

ソフトバンクの「つながりやすさNo.1」を理解してもらうためには、その背景・根拠にある「接続率」など、一般には複雑でわかりにくい専門的なファクトの伝達が必須。マンガのフィルターを通すことで、難しい内容を分かりやすく伝えることを目的とした。“マンガとしての面白さ”を損なわないよう注意を払い、楽しみながら読み進めるうちに「接続率」への理解が深まっていくことを狙っている。

ブラックジャックによろしく 佐藤秀峰 <漫画 on web http://mangaonweb.com>

「ホワイトジャックによろしく」とは?

ソフトバンクのつながりやすさを分かりやすくお伝えするために、
人気漫画「ブラックジャックによろしく」とのコラボレーションが実現!
「ブラックジャックによろしく」のパロディ漫画で、徹底的に解明します。

「ホワイトジャックによろしく」パロディ漫画シリーズ

第1話
つながりやすさNo.1へ篇

第2話
通話接続率篇

第3話
手作業で篇

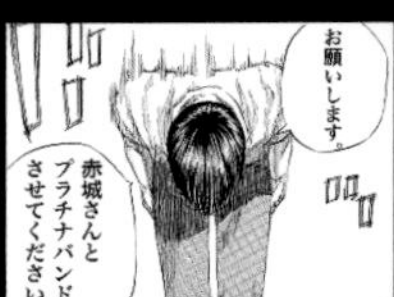

第4話
プラチナバンド篇

第5話
武器篇

第6話
CMパロディ篇

第7話
通信速度No.1へ篇

第8話
大学で高速篇

第9話
なぞなぞ篇

第10話
ダブル篇

▲ ページの先頭に戻る

ソフトバンクモバイル [通信 Telecommunications] CD, CW, AE:武田陽佑 D:タカノリョウコ テクニカルディレクター:倉 和範 AE:大下憲一 / 小島拓也 企画制作:アサツー ディ・ケイ / コラージュ
SB:ソフトバンクモバイル

「そこまでやるか篇」
◀前編を読む　次編を読む▶
宇佐美先生、僕、新しいスマホを買ったのに
職場で電波がつながりません。
ストロングな電波だと聞いたから買ったのに
職場でつながらないなんて…
残念だったね…。
そんなものなのでしょうか、電波って…。
買ってからつながらなかったら、はい、残念って…
そんなものさ…。
買う前にエリアマップを確認したときは、確かにつながるエリアだったのに…。
だから、なに？
電波は目に見えないしつながりやすさも、その時の状況次第さ。
認識が甘かったね。
職場での通信はあきらめなさい。
じゃあ、つながるかどうか試してみて、満足いかない場合、
返品できるサービスはないものでしょうか？
返品できるから試してください？
そんなこと、自社の電波に
相当自信がないと出来るはずがないだろう。
実現できる携帯キャリアがあるとすれば…
ソフトバンクぐらいだよ。
つながりやすさ No.1
ソフトバンクの電波をお試しください
もしご満足いただけなければ返品できます。
ご契約当日から8日以内に電波のつながりやすさにご満足いただけない場合、
ご契約のキャンセルができるプログラムです。契約キャンセルの場合、一部を除いて利用料金は免除されます。
この漫画を、みんなでシェアしよう。
解説
ソフトバンクは、ご契約当日から8日以内に電波のつながりやすさにご満足いただけない場合、
ご契約のキャンセルができる「電波保証プログラム」を提供しています。
契約キャンセルの場合、一部を除いて利用料金は免除されます。
ご利用には条件がありますので、詳しくはこちらをご確認ください。

「3年前の悲劇篇」
◀前編を読む　次編を読む▶
庄司先生、皆川さんに電話してもいつもつながらないんです。
皆川さんは、僕の彼女だというのに…
なるほど、…
何か心当たりはないのか？
彼女はソフトバンクを使っていて自宅の電波が悪いのが原因だと思います。
斉藤くん、早く目を覚ましたまえ。
彼女の自宅でソフトバンクがつながらないだと？
それは、3年も前の話だよ。
今やソフトバンクの通話エリアは以前の約1.6倍さ。
2010年3月
約1.6倍
2014年1月
※ 自社調べ。マップ上でのエリア面積数を算出し比較。

今やソフトバンクの通話エリアは以前の約1.6倍さ。
2010年3月
約1.6倍
2014年1月
君と皆川さんは確かに付き合ってたかもしれない。
しかし、君たちはすでに3年前に別れているんだ。
皆川さんは今は僕の彼女だ。
……
もちろん、今、僕と皆川さんは、つながりやすさNo.1だよ。
ポン
この漫画を、みんなでシェアしよう。
+1 213　ツイート 1,522　いいね！ 5,068　みんなへ共有
解説
ソフトバンクは2010年3月の電波改善宣言以降、着実にエリア拡大に取り組んできました。
2012年7月にはプラチナバンドを提供開始し、つながるエリアが全国で急拡大しています。
2010年3月から2014年1月にかけて、エリア面積は全国で約1.6倍になりました。
あなたが3年前に"つながらない経験"をしたところでも、現在はつながるようになっているかもしれません。

マツコ・デラックス×漫画表現の化学反応でターゲットに訴求

HOT PEPPER Beauty　交通広告 / フリーペーパー

▶ F1層（OL）～F2層（働くママ）

ヘア・ネイル・リラクゼーションなどのサロン情報を提供するWEBサイト&フリーペーパーの広告。各ターゲットに向けたメッセージを、ターゲットごとに共感性の高い漫画表現を使い訴えた。訴求内容をマンガのストーリーのように語ることで、スピーディーかつわかりやすいコミュニケーションとなっている。また、マツコ・デラックスさんの強烈な個性との融合で起こるインパクトも狙った。

フリーペーパー 中面

フリーペーパー 表紙

中吊り広告

リクルートライフスタイル［情報サービス Information Service］　CD：橋爪慎一郎（博報堂）　AD：石原辰也（panda）　CW：吉岡虎太郎（博報堂クリエイティブ・ヴォックス）/ 市之瀬浩子（博報堂）　コミュニケーションプランナー：中島静佳（博報堂）　プロデューサー：林 辰郎（ROBOT）　P：下村一喜（AVGVST）　キャスト：マツコ・デラックス　スタイリスト：中里智弘（三ノ輪）　ヘアメイク：HISAMITSU TAKAHASHI　D：石川皆美（TWINS）/ 吉川秀和（panda）　I：石原辰也（panda）/ おかざき真里 / カツヤマケイコ / 師岡とおる / 小野沢京子　レタッチャー：シノザキヒデユキ（フォートン）　アートデザイナー：磯貝さやか（ヌーヴェルヴァーグ）　プロダクションマネージャー：横山治己（ROBOT）　SB：博報堂

Leisure / Events / Railroad etc.

人気野球漫画家による両ファンの期待に応えたコラボ広告

阪神タイガース

新聞広告 / フラッグ

▶ 関西エリアのタイガース興味関心層

ファンクラブに入っていないライトファン層、一般層の購入を促進することで、前売りチケットの売り上げ増を狙った。コアな阪神ファン以外へもインパクトを与えるため、認知度の高い野球漫画『ROOKIES』の原作者・森田まさのり氏を起用。人気選手4名を描いたイラストを全面に用いた新聞広告を制作。関西エリア新聞全6紙で媒体ごとに異なる選手のイラストを掲載した。

フラッグ

新聞広告

阪神タイガース［野球球団 Baseball team］ CD：高橋俊臣（大広） CW：今中有紀（大広） AD：田中千晶（大広） D：竹内堅二（HOMERUN DESIGN） I：森田まさのり AE, SB：大広

生え抜き男、
鳥谷の華麗な守備！
by 森田まさのり
HANSHIN
Tigers
シュッ

藤浪が投げる
155キロのストレート！
by 森田まさのり
HANSHIN
Tigers
ザッ

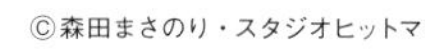

自転車少女キャラで若年層へのアピールを狙う

関西サイクルスポーツセンター　ポスター

▶オールターゲット

関西サイクルスポーツセンターは自転車のテーマパークとして関西では知られているが、一方でノスタルジックなイメージも強い。若年層を対象にイメージをリフレッシュさせることが課題であり、また、拡散力の高いモチーフを選ぶことで効率的なコミュニケーションを行う必要にも迫られていた。その策として、漫画「南鎌倉高校女子自転車部」の作者・松本規之氏が描くオリジナルキャラクターを起用した。

関西サイクルスポーツセンター［レジャー施設 Leisure facilities］　CD, AD：高橋俊臣　D：竹内堅二　I：松本規之　SB：大広

10人の漫画家による チームへの熱い思いが ファンの心を掴む

広島カープ　新聞広告

▶ 地元のカープファン

キャンプイン当日、新シーズンへの期待感を高めるため、そして球団の熱意を伝えることを目的とし、カープファンの漫画家が「キャンプで練習に打ち込む選手」を描いた。地元カープファンがメインターゲットであったが、カープファンの「著名漫画家」のレア作品を広告に取り入れる特殊コラボを実現することで、SNSでの拡散を図り、全国のカープファンや、各漫画家のファンにも発信した。

2014年2月1日 中国新聞（朝刊）掲載

広島東洋カープ［野球球団 Baseball team］　CD, C：吉田一馬　AD：大久保善弘　D：高木一樹　I：安彦良和 / かわぐちかいじ / 東風孝広 / 川原正敏 / さだやす圭 / 田中 宏 / かきふらい / 野村宗弘 / 乾 良彦 / とだ勝之　DF：電通西日本 / アドリブ

まさかのコラボ実現 あの「稲中」が 世界卓球をPR

世界卓球2013 × 行け！稲中卓球部

ポスター / 雑誌広告 / ノベルティ

シュールなギャグ漫画として知られる古谷実作の『行け！稲中卓球部』。同作はタイトルこそ卓球部となっているが、内容は抱腹絶倒の強烈なギャグ作品。そんな「稲中」を世界卓球というガチな大会のPRに起用したことで大きな話題となった。作品カットをそのまま使うのではなく、特色やニス加工といったデザインの力で、より注目度を高めた。

連貼りポスター

雑誌広告

クリアファイル

テレビ東京［放送事業 Broadcasting］　AD：上西祐理（電通）　CW：小郷拓良（電通）　D：大渕寿徳（J.C.SPARK）　SB：電通

から
連日放送!
世界卓球 2013パリ

World Table Tennis Champion -ships Paris 2013

SURENAI 3.11

行け!
界卓球部

Tシャツ

World
Table Tennis
Championships,
Paris 2013
世界卓球 2013パリ

World
Table Tennis
Championships,
Paris 2013
世界卓球 2013パリ

話題のアニメを起用し新たな競馬ファン獲得を狙う

「進撃の有馬記念」有馬記念 × 進撃の巨人 WEB

▶ 20〜30代の競馬未関心層

競馬を見たことのない若者が、競馬に興味を持つきっかけを作りたいと『進撃の巨人』とコラボ。アニメ中で数多く描かれている騎乗シーンや、豊富な映像素材を再利用したゲームを制作し、参加型のインタラクティブなPRをWEB上で展開。競馬新聞を模した「進撃スポーツ」の公開や、有馬記念の人気投票に呼応したキャラクター投票なども行い、ネット上での盛り上がりを最大限活用した。

進撃スポーツ

精鋭ぞろいの『進撃の有馬記念』出場メンバー！本紙にて一挙紹介!!

エレン徹底マークの中、立体的な手綱さばきは見られるか？

ミカサ・アッカーマン 170cm・68kg

気合十分の新鋭は、気迫の走りで返り討ちを誓う。

エレン・イェーガー 170cm・63kg

安定した騎乗技術を持つが、覚悟を決められるかがポイント。

ジャン・キルシュタイン 175cm・65kg

中山競馬場をみっちりリサーチ、戦略的な勝利を狙う。

アルミン・アルレルト 163cm・55kg

吠える団長は、賞金で兵団の運営資金獲得を目指す。

エルヴィン・スミス 188cm・92kg

実力ナンバーワンの兵長は、潔癖の走りで圧勝なるか。

リヴァイ 160cm・65kg

人気に応じての有馬記念出場！故郷に錦を飾れるか。

オルオ・ボザド 173cm・61kg

ハンネスやミケ、アニなどは惜しくも出場を辞退

撃スポ

エレン vs 女型

迎え撃つ 機動力に勝る女型が有利か!?

エレンは気合十分

第58回 有馬記念(GI) 12月22日(日) 15時25分発走

shingeki-jra.jp

超大型巨人 中山競馬場に出現か!?

駐屯兵団の警備も大幅に強化

有馬記念、ついに枠順決まる！新兵の起用が目立つ注目の一戦！

中山10R 進撃の有馬記念(GI)

馬番	出場者名	オッズ
1	オルオ・ボザド	128.2
2	エルヴィン・スミス	11.4
3	アルミン・アルレルト	42.2
4	エレン・イェーガー	18.3
5	ミカサ・アッカーマン	3.4
6	リヴァイ	1.2
7	ジャン・キルシュタイン	18.3
8	？？？？？	????

驚異の新人ミカサの真価が問われる

アルミンの舞台 ジャンにも期待

経験に勝る三戦士の動き 最有力リヴァイはマイペース

誰もが舌を巻くカリスマ、エルヴィン！オルオは単なる舌噛みか!?

ハンジさんの勝負馬券

本命は、我らがリヴァイ！ただし若手2人にも逆転の余地あり

ハンジさん結論

◎：リヴァイ ▲：アルミン ○：エレン 注：巨人

リヴァイ本命も、エレンのスター性とアルミンの頭脳は侮れず。巨人の出場にも期待

PDFによる「進撃スポーツ」

会場ウィンドウコラボレーション

日本中央競馬会［競馬事業 Horse racing］ CD：森田章夫／谷口恭介 CW：堤 藤成 プランナー：大多涼介 プロダクションプロデューサー：関 賢一／山中雄介 映像：中村武志 助監督：山中雄介 ディベロッパー：大橋将史／田中 陽／能宗孝信 ディレクター：小山大輝 D：中山健次郎／奥田正和 プロジェクトマネージャー：松本晃次郎／板垣奈生子／前田 実 プログラマー：イズカワタカノブ ゲームSE：大橋将史 制作会社：AID-DCC Inc. SB：電通

オープニングムービー

進撃の有馬記念
attack on grand prix

レースをはじめる

遊び方　新聞　パドック

進撃の有馬記念をつくろう!!

進撃のジャパンカップ

第58回有馬記念(GI) 12/22(日) 15:25発走　12月24日更新!　詳しく見る

金の巨人が当たる!

JRA　> このサイトについて　JRA公式Facebookページ

いいね! 6.8万　ツイート 4.63万

WEBゲーム

WEB人気投票

壁紙

萌えっ娘＋毒舌 ディープなゲーセンの 話題化に成功

メトロ PLAY LAND ZOO　ポスター

▶ 30～60代男性

昭和の昔から庶民に親しまれてきた地下構造のメトロ神戸商店街。その中にあるゲームセンターの店頭ポスター。ゲームと相性のよいアニメ風の萌えっ娘キャラクターを使用し、ディープな客層に響くような毒舌コピーでインパクトをだした。かわいいキャラとセリフのギャップが大きな反響を呼び、SNSをはじめ、情報番組にも取り上げられ、話題になった。

阪神電気鉄道 メトロ PLAY LAND ZOO［ゲームセンター Amusement arcade］　エグゼクティブCD：堤 仁司　CD：川島章弘　AD, CW：竹上淳志　D：竹谷遼大　I：妹尾 舞　SB：博報堂

会社の
悪口いえるのは
人生に息抜きを
¥50ゲームセンター
メトロPLAY LAND ZOO

おにいさん
お金なくなっちゃったの?
じゃあ魔法の呪文
おしえてあげるね
ハ・ロ・ー・ワ・ー・ク・♥
人生に息抜きを
¥50ゲームセンター
メトロPLAY LAND ZOO

娘さんの
ツイートみてみ
あんた死んだことに
なっとるで

奥さん
しばらく留守に
しますって
それ
旅行ちゃうで!

へ~
45歳でフリーター
なんだぁ…
………

知ってるぞ
お前のフォロワー
母ちゃん一人

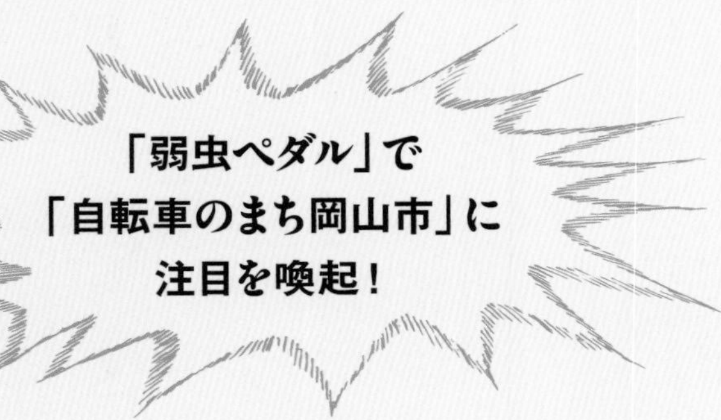

「弱虫ペダル」で「自転車のまち岡山市」に注目を喚起！

岡山市 × 弱虫ペダル GRANDE ROAD　ポスター / ノベルティ他

▶ 若者を中心に全世代

コミュニティサイクル事業や自転車走行環境の整備に力を入れている岡山市が、市と親和性の高い作品として「弱虫ペダル」を起用し観光客誘致のプロモーションを行った。同作品は、自転車競技をテーマに描かれた渡辺航原作の人気アニメ。市内を巡るスタンプ&クイズラリーでは、スタンプ制覇&クイズ全問正解でオリジナルグッズがもらえる。また各ポイントにはキャラクターパネルも設置されイベントを盛り上げた。

岡山ビジットアソシエーション［観光事業 Tourism］　SB：岡山市

ポスター

メインビジュアル

関西テレビ

女王は、
ひとりだけ

世界を
目指して
激しい
デッド
ヒート!!

ワーッ

タタタタッ

日東電工スポーツスペシャル 第32回
大阪国際女子マラソン
今日ひる12時放送
www.ktv.jp/marathon/ スペシャルキャスター：国分太一

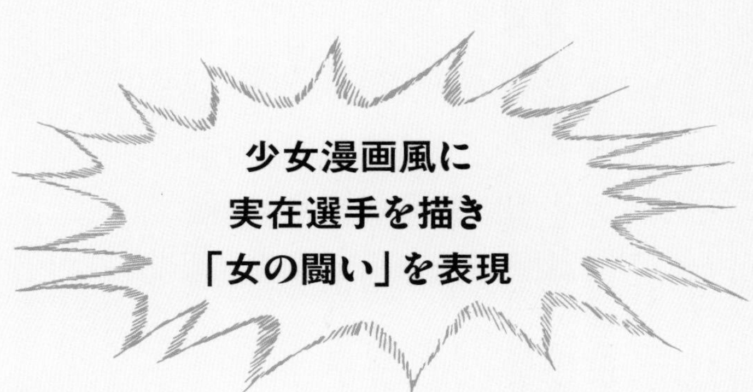

大阪国際女子マラソン　ポスター / 新聞広告

▶ マラソンに興味があるオールターゲット

大阪国際女子マラソンを放送するテレビ番組の告知ビジュアル。女子マラソンの華やかな「女の闘い」を表現するため、少女漫画風のイラストを採用。薔薇のイラストを配置し、全体にピンクを選ぶことにより、雰囲気をさらに盛り上げた。キャラクターそれぞれを出場選手に似せて描くことにより、マラソン好きなターゲットに対して、ユーモアを感じさせるポップでコミカルな広告となった。

関西テレビ［放送業 Broadcasting］　CD, AD：大垣ガク　D, I：柳澤ももこ
CW：西井哲生　AE, DF, SB：アシタノシカク

のまちを駆けめぐろう。
OKAYAMA!

×
のまち岡山

©渡辺航（週刊少年チャンピオン）／弱虫ペダルGR製作委員会

©渡辺航（週刊少年チャンピオン）/
弱虫ペダルGR製作委員会

スタンプラリーに合わせ、岡山市のレンタサイクル「ももちゃり」に「弱虫ペダル」のキャラクターイラストをあしらった特別仕様車も登場した

新キャラクターのアイドル的なかわいさをコミックテイストで表現

横浜・八景島シーパラダイス

ポスター

水族館、横浜・八景島シーパラダイスに登場する新動物のデビュー告知ポスター。テーマの異なる4つの水族館があり、多くの種類の動物に出会える同水族館。ニューフェイス「コツメカワウソ」のアイドル的なかわいらしさと気性をコミックテイストで表現。他の動物たちをライバルのようなキャラクターとして登場させることにより、コミカルで注目を集めるデザインとなっている。

横浜・八景島シーパラダイス［レジャー施設 Leisure facilities］　CD, AD, I：立花和政　D：千葉 瞳（CNS Inc.）/ 斉藤絵理子（CNS Inc.）　CW：DJ宮本武史　AE：皆川達也　DF：毎日広告社
SB：横浜・八景島シーパラダイス

あの立花兄弟が故郷の活性化に一役

鹿角市 × キャプテン翼

ポスター

▶ 鹿角市関心層。40代以上の地域特産品等への関心層

秋田県鹿角市の知名度向上と地域産品の活性化を目指し、サッカー協会と鹿角市がコラボレーション。サッカー漫画『キャプテン翼』に登場する立花兄弟の出身地が鹿角市（花輪FC）ということで、オリジナル描きおろしのポスターを制作。第1弾は3カ月連続で特産品があたるwebキャンペーンの告知として、第2弾はポスター表面に添付された鹿角産品のカードで当該産品をもらえるキャンペーンとして実施した。

©高橋陽一／集英社

鹿角市役所［官公庁 Public authorities］ CD：永松繁隆 CD, CW：福井秀明 AD：樋口裕二 / 井村 満 D：小川慶子 / 佐藤 壮 I：高橋陽一 P：小林敏伸 DF：dish AE：手嶋秀人
SB：鹿角市役所 / 日本サッカー協会 JFAこころのプロジェクト推進室

鹿角の特産品が当たる「鹿角いいね！キャンペーン」 http://kazuno-iine.com

特産品応募カードが添付されたポスター

ポスター

鹿角いいね！キャンペーン

鹿角からのおすそわけ！

しそ巻大根

ポリッ

上記商品を無料でさしあげます。

おひとり様1枚まで

鹿角の特産品さしあげます。

しそ巻大根［1袋］

鹿角の伝統漬物。しっかりと漬け込んだ大根を一つ一つ手づくりで仕上げています。見た目の美しさも好評で、視覚と味覚両方でご満足いただけます。お食事の箸休め、酒の肴、お茶請けにご賞味下さい。一口サイズの食べ易さも人気の一つです。

提供〉有限会社 岩船屋
TEL〉0186-23-6264
URL〉www.akitafuki.jp/

下記のURLからお送り先の情報等をご記入ください。

http://kazuno-iine.com/p/

右記のコードを入力してください。

鹿角市

応募カードのキーワードをキャンペーンサイトから入力すると、カードに掲載されている特産品がもらえる

カード

裏面

カードを剥がしたポスター

神話の国で
ご利益を願う「ねずみ男」が
地元力をアピール

陰ディスティネーションキャンペーン」×
ゲゲの鬼太郎

スター

性グループを中心としたオールターゲット

グループと鳥取県、島根県が連携して開催する観光キャンペーンの広 両県は「古事記」の舞台でもあり、出雲大社のある島根県では「神しまね」、水木しげるの出身地・鳥取県では「国際まんが博」を開催。らの要素を融合した企画でポスター展開を図った。嘘つきで欲深く、がしこくてなまけもの、でもどこか憎めない人間臭さのあるキャラクターずみ男」が、人間世界に住む現代人の共感を促した。

ループ「鉄道業 Railway」

好評、発売中。
「レール&レンタカーきっぷ」
▶JR線を通算して201km以上利用すると、駅レンタカー料金が割引になるほか、ご利用の方全員のJR線運賃が2割引、料金が1割引になります。
▶お求め・お問い合わせは、JRの主な駅のみどりの窓口、旅行センターおよび主な旅行会社へ。
▶駅レンタカーをインターネット・電話で予約したうえで、駅窓口等へお越し下さい。
三朝温泉
鳥取県の中部にある温泉。約850年前、源義朝の家臣、大久保左馬之祐が三徳山へ参る道中に出会った白狼が、源泉のありかを教えたことが始まりと言われる。温泉は、免疫力や自然治癒力を高める効果がある。三朝神社の手水は飲むことができ、「神の湯」と呼ばれる。
願ッタリ、叶ッタリ。の旅
島根 鳥取
山陰
山陰デスティネーションキャンペーン 2012.10.1 Mon ▶12.31 Mon
©水木プロ
JR GROUP

三隅町 岡崎
満面の笑みがあるところに、お金が集まるのかな。商売繁盛の神様、俺にも財運を授けてくださいな。
石見神楽
島根県石見地方に伝わる伝統芸能。日本神話を題材とした演目が多い。エンターテイメント性が強く、軽快なリズムと豪華な衣裳が特徴的。スサノオノミコトと大蛇との戦いを題材にした「大蛇」と、恵比須様が釣りをする姿を舞った「恵比須」は、とくに人気のある演目。
好評、発売中。
「レール&レンタカーきっぷ」
願ッタリ、叶ッタリ。の旅
島根 鳥取
山陰
山陰デスティネーションキャンペーン 2012.10.1 Mon ▶12.31 Mon
©水木プロ
JR GROUP

崎神社
にスサノオノミコト、日沈宮に
ラスオオミカミを祀る、島根半島西端の神社。
社殿は、徳川三代将軍家光公の命で建立された。
夫婦円満など数あるご利益の中でも、
厄除け」にご利益がある。

好評、発売中。
「レール&レンタカーきっぷ」
まんが王国とっとり建国記念
国際まんが博
11月25日(日)まで開催中!〈鳥取県内各地〉
よみがえる はじまりの物語
神話博しまね
11月11日(日)まで開催中!〈出雲大社周辺〉
願ッタリ、叶ッタリ。の旅
島根 鳥取
山陰
山陰デスティネーションキャンペーン 2012.10.1 Mon ▶12.31 Mon
©水木プロ
JR GROUP

人気RPGと自治体が連携し 佐賀県の魅力を発信

「ロマンシング佐賀」
佐賀県 × スクウェア・エニックス「サガ」シリーズ

▶ ゲームをはじめとした様々な情報に敏感でこだわりを持つ女性層

人気RPG「サガ」シリーズと佐賀県がタッグを組んだ「ロマンシング佐賀」プロジェクト。ゲームが持つ情報発信力・行動誘発力を活用することで、佐賀県への興味関心を持ってもらい、佐賀県が保有する素材を人々の生活の中に届ける「新たな入口」となることを期待。六本木ヒルズでのイベントではサガシリーズとコラボした有田焼のオリジナルグッズや名産を使ったフードなども販売した。

Romancing 佐賀
ロマンシング サガ
SAGA × FACTORY SAGA

イベントメインビジュアル

会場風景

佐賀県［官公庁 Public authorities］　【イベント】企画, AE：山口綱士　企画, ディレクター：伊藤隆彦　I：小林智美　ロゴ制作：江島史織 / 惣水清貴　工芸品制作：しん窯 / 徳永陶磁器 / レグナテック / 肥前名尾和紙　【WEBサイト】プロデューサー：池上雅春　ディレクター：道宗智子　企画＋CW：丸本翔一　AD：河野洋輔　D：細野智美　フロントエンドエンジニア：岩橋 卓　SB：佐賀県 / スクウェア・エニックス

ノベルティ ポストカード

有田焼コラボグッズ

名産品詰め合わせ
BOX

WEB

地獄が舞台の人気作品で
登別市の魅力を
若い世代に訴求

登別市 × 鬼灯の冷徹　ポスター / ポストカード他

▶ 若年層

「鬼灯の冷徹」は日本の地獄を舞台に、多彩なキャラクターたちが繰り広げる地獄の日常を描いた江口夏実原作の漫画・アニメ作品。地獄谷や地獄祭りで知られる北海道・登別市がこの作品とコラボレーションし、若い世代の集客を目指した。名所の写真とキャラクターを配置したポスターや、温泉街で実施したスタンプラリーなど、作品の世界観と土地の魅力の相乗効果を狙った。

ポスター

登別市 / 登別観光協会 / 極楽通り商店街［官公庁 / 観光業 / 商店街 Public authorities, Tourism, Shopping street］　CD, SB：加藤 学　AD：佐藤康太郎　D：高橋俊介　DF：MONSTAR design

ポスター

ポスターカード

スタンプラリー台紙

スタンプ

伝統ある街の魅力を オリジナルアニメで表現 国内外の若年層に訴える

松山市「マッツとヤンマとモブリさん」

パンフレット / オリジナルアニメーション他

▶ 特に若年層

文化と歴史的遺産を持つ松山市。伝統的な観光都市のイメージは高い年齢層に定着しているが、若年層には浸透しきっていない感があった。都市の魅力を新たな方法で訴えるため、オリジナルアニメーションを使用。実写では表現しきれない美しい松山市の景観を大胆に再構築し、若者に親しみのあるWEB動画をメインコンテンツとすることでターゲットを海外にまで広げる可能性を生んだ。

カメラアプリケーション　専用のARアプリをダウンロードし、アニメの舞台になった場所にかざすと主人公たちが画面に現れる

メインビジュアル

パンフレット

松山市［官公庁 Public authorities］　CD, CW, 企画, 脚本：田中淳一　AD：大橋謙譲 / 菊池佳奈　D：五十嵐誠 / 松岡泰世 / 西井真知子
プランナー：贄田翔太郎 / 髙宮ゆい　PR：涌井剛　PM：大嶋美穂　演出, 脚本, キャラクターデザイン, CG, 音楽：坂本サク　音楽監督：遠藤浩二　SB：松山市

いい、加減。まつやま

松山発オリジナルアニメーション

マッツとヤンマとモブリさん2

―― 水軍お宝と謎解きの島々 ――

"いい、加減"な松山に暮らす2人の少年、マッツとヤンマ、女子高生のモブリさんが、パワーアップして帰って来た！今度の舞台は、松山の沖合に浮かぶ個性豊かな島々。その昔、この海域で勢力を誇った忽那水軍の伝説のお宝を探し、3人は未知なる冒険に巻き込まれていく!!

WEB・YouTubeにて絶賛公開中！ マッツとヤンマ 検索
www.dandanmatsuyama.jp

伝説の忽那水軍のお宝とは一体!?

松山の七不思議には続きがあった！

"いい、加減"な松山に暮らす2人の少年、マッツとヤンマ、女子高生のモブリさんが、パワーアップして帰って来た！今度の舞台は、松山の沖合に浮かぶ個性豊かな島々。その昔、この海域で勢力を誇った忽那水軍の伝説のお宝を探し、3人は未知なる冒険に巻き込まれていく!!

伝説

ヤンマ(11歳)
いつもひとつ年下のマッツに置いてかれないように必死。動物好きな気持ちの優しい男の子。

あなたの知らない松山が、ここにあります。

本人役 アニメ初登場 白濱亜嵐(松山市出身) (EXILE/GENERATIONS)
モブリさん役 水樹奈々(愛媛県出身)
本人役 友近(松山市出身)

渡辺美佐　河内麻友子　水樹奈々　石住昭彦　玉置祐也　ひめキュンフルーツ缶　nanoCUNE　友近
テーマ曲 スキマスイッチ「トラベラーズ・ハイ」｜制作プロダクション ROBOT（映画『永遠の0』、米国アカデミー賞受賞…みきのいえ、など）｜音楽監督 遠藤浩二（日本アカデミー賞優秀音楽賞受賞『十三人の刺客』など）｜脚本 田中淳一｜監督 坂本サク

企画・製作 松山市

WEB・YouTubeにて絶賛公開中！
詳しくは右記の特設WEBサイトをご覧ください。 マッツとヤンマ 検索
http://www.dandanmatsuyama.jp

チラシ

オリジナルアニメーション　少年マッツとヤンマ、女子高生モブリさんが、秘宝を巡り松山市内を駆けるファンタジーとアクションに満ちた冒険ストーリー

女子高校生キャラが地下鉄利用促進を呼びかける

京都市営地下鉄　ポスター / CM

▶ オールターゲット

地下鉄・市バス応援キャラクターの「太秦萌」とその幼なじみ「松賀咲」・「小野ミサ」の3人が『地下鉄に 乗るっ』を合言葉に、京都市営地下鉄のアピールポイントをわかりやすく説明し、地下鉄の利用を呼び掛けるキャンペーンを展開。同時に3人のキャラクターたちが、地下鉄とその沿線施設等を結びつけるハブとなり、地域のPRも盛りあげる役割を果たしている。

ポスター

CM

京都市営地下鉄［鉄道事業 Railway］　CD：磯貝直紀（GK京都）　AD, D：名倉剛志（GK京都）　I：賀茂川　SB：京都市営地下鉄

ポスター

コラボレーションキャラクター

京都国際マンガミュージアムのオリジナルPRキャラクター烏丸ミユ(左)と、同じく京都学園大学の太秦その(右)。京都市営地下鉄とは、相乗効果を狙ったコラボレーションを実施している。※京都学園大学・太秦その→p.146

ゆるふわ〜な人気アウトドア作品で沿線の魅力を伝える

富士急行 × ヤマノススメ セカンドシーズン

ポスター / パンフレット / ヘッドマーク

▶ アニメファン / 鉄道ファン

「ヤマノススメ」は、女子高生たちのアウトドアをテーマとする、しろ原作のアニメ。作中で三つ峠山や富士山を登る回では、富士急行線の駅や周辺の登山道が登場することから、沿線地域の魅力を伝えるコラボレーションキャンペーンが実現した。作品に登場する富士急行線沿線のスポットをまとめた「舞台探訪マップ」の配布や、車両ヘッドマーク制作の他、キャラクター声優による車内アナウンスも行われた。

ヘッドマーク

ヤマノススメ Encouragement of Climb セカンドシーズン × 富士急行

富士山五合目 標高二三〇五

三ツ峠山＆富士山五合目

富士急行線で行く

ゆるふわ旅のススメ

(C)しろ／アース・スターエンターテイメント／ヤマノススメ製

ポスター

富士急行 / アース・スター エンターテイメント［鉄道業 / 出版業 Railway, Publisher］ SB：富士急行

ヤマノススメ
×
富士山に一番近い鉄道
富士急行
富士山五合目
標高 二三〇五
富士急行線で行く
ゆるふわ旅のススメ
三ツ峠山&富士山五合目
舞台探訪マップ
YAMA NO SUSUME
YURUFUWATABI NO SUSUME
FUJIKYUKO PRESENTS

ヤマノススメって?
あおい CV:井口裕香
ひなた CV:阿澄佳奈
かえで CV:日笠陽子
ここな CV:小倉 唯
三ツ峠・富士山五合目へのアクセス
中央本線
富士急行線
三ツ峠山
富士山五合目(富士スバルライン五合目)
フジヤマNAVIでチェック!
三ツ峠山・富士山五合目が追加!

パンフレット

舞台探訪マップ 三ツ峠&富士山五合目
YURUFUWATABI NO SUSUME
Check! 三ツ峠山頂「裏ワザルート」
河口湖駅→バスORタクシー→三ツ峠登山口バス停→山頂→三つ峠駅
ヤマノススメに登場するキャラクターたちの足跡を辿って、世界遺産・富士山の「ゆるふわ旅」に出かけよう!
①大月駅(改修前)
②1000系車内からの風景
③三つ峠駅
④三つ峠駅～三ツ峠グリーンセンター
⑤三ツ峠グリーンセンター
⑥山祇神社
Ⓐ 三ツ峠往復ルート
上り…約4時間30分
下り…約2時間50分
Ⓑ カチカチ山ルート
上り…約3時間30分
下り…約2時間50分
Ⓒ 裏ワザルート
上り…約1時間45分
下り…約2時間50分
三ツ峠山登山口バス停
四季楽園
三ツ峠山荘
三ツ峠山頂(開運山)
屏風岩
親不知の碑
八十八大師
不二石
愛染明王碑
馬返し
股のぞき
達磨石
憩いの森
神鈴の滝
山祇神社
三ツ峠グリーンセンター
三ツ峠さくら公園
木無山
霜山
天上山
河口湖
ロープウェイ富士見台駅
河口湖駅
富士山
富士山五合目付近(富士スバルライン五合目)
バスまたはタクシー
大月駅
三つ峠駅
富士急行線
スポット探訪時の注意事項 ～ゆるふわ旅でも気を付けて!～
⑦三ツ峠さくら公園
⑧神鈴の滝
⑨登山道入口
⑩達磨石
⑪股のぞき
⑫八十八大師
⑬屏風岩
⑭三ツ峠山頂(開運山山頂)
⑮四季楽園付近
⑯富士山五合目付近(富士スバルライン五合目)

Van!shment Th!s World！
「中二病」の世界が広がるラッピングトレイン

京阪電車大津線 × 中二病でも恋がしたい!

乗車券 / ラッピングトレイン

▶ **アニメファン / 若い女性を中心とした観光客**

大津線を走る車両、京阪石山駅や穴太駅など、作品には実在の駅周辺の風景が数多く描かれている。その舞台を背景に、ピンクを基調とした日常の高校生活バージョンとブルーを基調とした中二病の妄想世界バージョンの二両編成のラッピングトレインを運行。メインキャラクターによる車外・車内のフルラッピング。円形の台紙に収められた特製乗車券などを作成し、観光集客を見込み地域活性化に寄与した。

京阪電気鉄道 / 京都アニメーション［鉄道事業 / アニメーション制作 Railway, Animation production］　SB：京阪電気鉄道
「中二病でも恋がしたい！戀」Blu-ray & DVD全7巻発売中　発売：京都アニメーション・中二病でも製作委員会　販売：ポニーキャニオン

中二病でも恋がしたい!戀

京阪電車大津線 特製乗車券

「中二病でも恋がしたい!戀」

京阪電車大津線 特製乗車券

適用期間:2015年3月31日までのお好きな1日
大津線1日乗降自由　大人500円

有効区間:京津線(御陵～浜大津間)／石山坂本線(石山寺～坂本間)
※有効区間を越えてご乗車の場合には別途運賃が必要です。

乗車日付印

●京阪本線、鴨東線、中之島線、交野線、宇治線、男山ケーブル線、京都市営地下鉄、JR線はご利用になれません。
●払い戻しは、通用期間内で未使用の場合に限り発売駅でお取り扱いいたします(手数料150円)。
●この乗車券では、「湖都古都・おおつ1dayきっぷ」の特典はご利用になれません。

台紙からミシン線で切り取った状態の乗車券

作品ゆかりの土地で ラッピングトレインを運行 集客・地域活性化を狙う

京阪電車大津線 × ちはやふる　乗車券 / ラッピングトレイン

▶ 漫画ファン / 観光客

人気漫画に登場するかるたの聖地・近江神宮の所在地である大津市が展開する「ちはやふる・大津キャンペーン」に合わせ、京阪電車大津線ではラッピングトレインを運行。春夏秋冬を意識した外観のほか、百人一首を描いたつり革、車内に隠されたキャラクターを探すゲーム、特製乗車券の発行など、様々な仕掛けを盛り込んだ。ファンのみならず多くの観光集客、地域活性化にも寄与した。

京阪電気鉄道／びわ湖大津観光協会［鉄道業 / 観光事業 Railway, Tourism］　SB：京阪電気鉄道

Education / Public & Government / Manners etc.

親しみやすいキャラクターで車内マナーを啓発

西武鉄道 × ケロロ軍曹

ポスター

▶ オールターゲット

『ケロロ軍曹』は、地球侵略をもくろむカエル風の宇宙人ケロロの日常を描いた、幅広い層に人気の吉崎観音原作のアニメ。西武鉄道が、駅構内や車内でのマナーを啓発するにあたり、個性的でありつつ幅広い層に親しみをもって受け入れられるキャラクターとして採用された。さまざまな場面のシチュエーションが標語風のコピーとともにわかりやすく描かれ注目された。

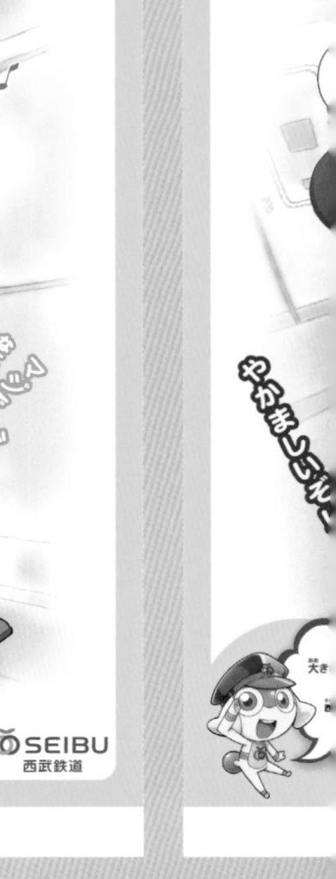

西武鉄道［鉄道事業 Railway］ AD：追崎史敏 D：森田 桂（角川メディアハウス） CW：相川 藍 AE：鳥屋窪由佳（角川メディアハウス） SB：西武鉄道

で西武鉄道侵略大作戦!〈その7〉
電車内
まわりみえない
トークショー
ぇむ人へ。西武グループ

ケロロ軍曹のマナーで西武鉄道侵略大作戦!〈その8〉
ながらぞく
駅こうないを
しんりゃく中
出口
あっ!
ゲロッ!
"ながら"歩きは大迷惑!
まわりに気配りをしよう
でスマイル☆
西武鉄道専属ケロン人
スママ
西武鉄道
でかける人を、ほほえむ人へ。西武グループ

西武鉄道
ケロロ軍曹のマナーで
西武鉄道侵略大作戦!〈その9〉
Seibu Group
ギローッ!!
イタッ!!
電車内
だれかのゴミが
わるふざけ
空きカン・ペットボトル
などのゴミは車内に置いて
いかないでスマイル☆
西武鉄道専属ケロン人
スママ

ケロロ軍曹のマナーで西武鉄道侵略大作戦!〈駅編その4〉
SEIBU
西武鉄道
気をつけて
"ながら"歩きの
おとしあな
アブナイ!
夏美～～!!
ゲーロ
ゲロゲロゲロ
歩き"ながら"のケータイや
ゲームは危ないので
やめるでスマイル☆
西武鉄道専属ケロン人
スママ

でかける人を、ほほえむ人へ。西武グループ

ケロロ軍曹のマナーで西武鉄道侵略大作戦!〈その5-②〉
むいしきの
荷物ばくだん
あなどれず
く…くるしいで
あります…。
車内では
他人の迷惑にならないよう
荷物の持ち方に
注意するでスマイル☆
西武鉄道専属ケロン人
スママ
SEIBU
西武鉄道
でかける人を、ほほえむ人へ。西武グループ

かわいらしいキャラクターで幅広い層に優しくマナー啓発を促す

東武鉄道お客さまセンター・マナー啓発　ポスター

▶ 鉄道を利用するオールターゲット

東武鉄道お客さまセンターのイメージキャラクターとして誕生した「姫宮なな」による駅・電車内でのマナー啓発や、お客様への各種ご案内ポスター。彼女が優しくマナー啓発を呼びかけるデザインにすることで、より多くのお客様へ、マナー向上を呼びかけている。現在はFacebookも活用し、SNS上でも姫宮ななが呼びかけるようにマナー啓発や各種インフォメーションが行われている。

東武鉄道［鉄道業 Railway］　I：宙花こより　SB：東武鉄道

周りを見廻してみて…
あなたの行為に
迷惑している人がいるかも？

車内マナーについて
!?
考えてみませんか？

東武鉄道
お客様センター
オペレーター
姫宮なな

ちょっとした心がけで心地良い空間がうまれます。車内マナー向上にご協力を!!

■東武鉄道お客さまセンター TEL 03-5962-0102（営業時間8:30～19:00 但し12/30～1/3を除く） 東武鉄道HP http://www.tobu.co.jp/

TOBU 東武鉄道

中吊り

中吊り

Illustration 宙花こより

学生に近い等身大のキャラで官学が連携したPR活動を展開

京都学園大学　屋外広告 / CM

▶ **地域住民。近隣在住の高校生。全国のアニメ愛好家**

京都学園大学の新キャンパス（京都太秦キャンパス）開学を記念し、京都市交通局が独自に取り組んでいる「地下鉄・市バス応援キャラクター 太秦萌」とのコラボレーションを実施。太秦萌の従姉妹という設定の「太秦その」を大学公認キャラクターとして、TVCMや新キャンパスでの大看板などを制作。官学連携事業として取り組み、大学の魅力の発信だけでなく周辺地域の活性化を目的としている。

京都で学ぶ
地下鉄で通うっ
公共交通利用促進キャンペーン

京都学園大学
KYOTO GAKUEN UNIVERSITY
×
京都市交通局
Kyoto Municipal Transportation Bureau

京都学園大学は、京都市交通局と連携し、地下鉄５万人増客応援キャラクター「太秦 萌」とコラボレーションした京都学園大学公式キャラクター「太秦 その」を新たに登場させました！
「その」は「萌」のいとこのお姉ちゃんに当たる、京都学園大学に通う現役大学生。京都学園大学のPRはもちろん、太秦キャンパスへの学生の通学に地下鉄など公共交通機関の利用を広く呼び掛けるとともに、キャンパスを中心とした大学周辺地域の活性化につながる活動も積極的に行っていきます。

www.kyotogakuen.ac.jp

太秦萌
京都市地下鉄
5万人増客
応援キャラクター

太秦その
京都学園大学
公式キャラクター

Illustration by 賀茂川

©Kyoto Municipal Transportation Bureau 2013

©Kyoto Gakuen University 2014

CM

京都学園大学［学校教育 School education］　CD：磯貝直紀（GK京都）　テレビCM CD：森江康太（トランジスタ・スタジオ）　AD, D：名倉剛志（GK京都）　I：賀茂川　SB：京都学園大学

京都学園大学
KYOTO GAKUEN UNIVERSITY

経済経営学部※

経済学科※ 経営学科※

※構想中のため、名称や内容等は変更になる場合があります。

公共交通利用促進キャンペーン 京都で学ぶ 地下鉄で通うっ 京都学園大学 × 京都市交通局

京都学園大学
KYOTO GAKUEN UNIVERSITY

健康医療学部※

看護学科※ 言語聴覚学科※
健康スポーツ学科※

※構想中のため、名称や内容等は変更になる場合があります。

公共交通利用促進キャンペーン 京都で学ぶ 地下鉄で通うっ 京都学園大学 × 京都市交通局

京都学園大学
KYOTO GAKUEN UNIVERSITY

人文学部※

歴史文化学科※ 心理学科※

※構想中のため、名称や内容等は変更になる場合があります。

公共交通利用促進キャンペーン 京都で学ぶ 地下鉄で通うっ 京都学園大学 × 京都市交通局

京都学園大学
KYOTO GAKUEN UNIVERSITY

バイオ環境学部※

食農学科※ バイオ環境デザイン学科
バイオサイエンス学科

※構想中のため、名称や内容等は変更になる場合があります。

公共交通利用促進キャンペーン 京都で学ぶ 地下鉄で通うっ 京都学園大学 × 京都市交通局

堅苦しさを払拭し
親しみやすいイメージで
より広い理解を求める

自衛隊活動PR / 自衛官募集　ポスター

▶ オールターゲット（活動PR）/ 18～27歳男女、その保護者・兄弟姉妹（募集）

自衛隊というイメージを柔らかくするために、各地方協力本部では地元の漫画家（茨城）や自衛官の中から募った作者（徳島）などによるオリジナルキャラクターを起用した募集ポスターを制作している。地元に根ざしたPR活動を展開し、男性だけの職場でなく女性も働ける場であることもアピール。また、TVアニメへの協力やタイアップポスターなど、自衛隊の活動に対して広く理解を求めている。

茨城地方協力本部

自衛隊茨城地方協力本部・自衛隊徳島地方協力本部 / フジテレビ・陸上自衛隊［防衛 National defense］　【茨城地方協力本部】制作：飯田ぽち。　SB：自衛隊茨城地方協力本部　【陸上自衛隊】作画：長谷部敦志 / 内山 翠　彩色：加藤里恵　美術：袈裟丸絵美　SB：アスミック・エース　「東京マグニチュード8.0」Blu-ray / DVD 全5巻発売中　発売：アスミック・エース/フジテレビ　販売：KADOKAWA 角川書店
【徳島地方協力本部】SB：自衛隊徳島地方協力本部

大地震を生き抜くための、リアルシミュレーションアニメ
毎週木曜 24:45 ~ フジテレビ"ノイタミナ"ほかにて放送

制作：ボンズ / キネマシトラス　© 東京マグニチュード8.0製作委員会

「東京マグニチュード8.0」における災害派遣

TOKYO MAGNITUDE 8.0

大地震発生—その笑顔を取り戻すのは、陸上自衛隊の仕事です。

協力：陸上幕僚監部広報室
陸上自衛隊第１師団

守りたい人がいる 陸上自衛隊

陸上自衛隊　©東京マグニチュード8.0製作委員会

徳島地方協力本部　平成26年度

平成25年度

オリジナル萌え系キャラを起用し
若年層の活動活性化を図る

松戸市防犯キャンペーン / 献血キャンペーン

ポスター

▶ 若年層 / 行政の情報が届きづらかった層

千葉県松戸市の防犯協会が発行している防犯と献血を呼びかけるポスター。防犯活動の多くを65歳以上の高齢者が担っている現状を変えるため、ターゲットに次世代を担う若年層やこれまで行政の情報が届きづらかった人たちを選び、 その年齢層が興味を得やすい手段としてイラストを活用。オリジナルのかわいらしいキャラクターをメインに、目を引くデザイン作りを心がけた。

悲しいことは、見たくない

事故は一瞬であなたの人生を壊します。あなた自身のための交通安全を。

松戸市［官公庁 Public authorities］　I：七六　SB：松戸市防犯協会連合会

アニメ風女の子キャラで若い世代にがん検診をPR

豊島区がん検診告知　ポスター

▶ 区内がん検診受診対象者（特に20歳代の女性）

豊島区は、がん検診に関心が薄い若い世代に、がん検診を知ってもらうため、同世代のアニメ風のキャラクター“ももか”を起用したポスターを作成した。スカートにあしらわれているのは、区の木ソメイヨシノ。一緒にいるミミズクのミミちゃんに至るまで細かなキャラクター設定がされている。

豊島区保健福祉部地域保健課［官公庁 Public authorities］　SB：豊島区保健福祉部地域保健課

大学の強みを
一目で理解できる
マンガ風イラスト広告

山梨学院大学　屋外広告

▶ 受験生とその保護者

山梨県の私立大学が、新宿駅構内に設置した広告。スポーツや、公務員合格率に実績を持つ同大学の魅力をコミックテイストのイラストで表現。受験生とその保護者に、大学の特長を一目で伝えるようになっている。山梨へのアクセスポイントとなる新宿駅構内に広告を設置することにより、県外の受験者の呼び込みを狙う。

山梨学院大学［学校教育 School education］　SB：山梨学院大学

索引
INDEX

Clients Index クライアント

法人格は省略しています。

Submitter 作品提供者

法人格は省略しています。

コミック mix デザイン

Comic Mix Design

アニメ・マンガ・ゲーム・キャラクターを
使った広告・キャンペーン特集

2015年2月23日　初版第1刷発行

アートディレクション
松村大輔

デザイン
佐藤美穂

撮影
藤本邦治
弘田 充（p.012 建物内外）

翻訳
三木パメラ

編集協力
数野由香子
竹下 琢
山本文子（座右宝刊行会）
株式会社 風日舎

編集
斉藤 香

発行人
三芳寛要

発行元
株式会社 パイ インターナショナル

〒170-0005　東京都豊島区南大塚2-32-4
TEL：03-3944-3981　FAX：03-5395-4830
sales@pie.co.jp

PIE International Inc.
2-32-4 Minami-Otsuka, Toshima-ku,
Tokyo 170-0005 JAPAN
sales@pie.co.jp

編集・制作：PIE BOOKS
印刷・製本：株式会社サンニチ印刷

ISBN978-4-7562-4599-1 C3070
Printed in Japan

Less Colors, More Impact: Effective Designs with Limited Colors
単色×単色のデザイン

Pages: 224 Pages (Full Color) ¥3,800 + Tax ISBN : 978-4-7562-4589-2

4589

単色デザインの可能性が広がる！ アイデアソースを凝縮。「単色×単色」のデザインは、シンプルでインパクトのある表現としてだけでなく、アナログ手法やレトロ印刷のブームもあり、広告デザインに多く用いられています。「2色」や「3色」、「3色＋α（箔押しなどの特殊印刷）」でデザインされた、4色印刷を超えるインパクトのあるポスターやフライヤー・パンフレット・パッケージ・装丁など国内、海外の広告作品を紹介します。

Using less colors on a graphic design brings an big impact. This title showcases many examples with simple colorings from Japan and the world. Each work is accompanied by actual color tips with PANTONE or DIC numbers.

Show a Product Attractively in Graphic Design
商品で魅せるデザイン

Pages: 336 Pages (Full Color) ¥5,800 + Tax ISBN : 978-4-7562-4576-2

4576

商品を大きく見せても、デザインは美しくできる！「商品が目立つようにしてほしい」。そんなクライアントの要望に応えながらも、美しくデザインすることは簡単ではありません。本書では商品をメインにレイアウトし、かつ、魅力的なデザインの広告作品を紹介します。クリエイターはもちろん、クライアントにもうれしい1冊です。

The most important aspect for advertisement is to capture audience attention. When you are trying to promote a product or service behind the advertisement, the first thing you should do with the design is to be creative to attract the viewer, and then to interest them enough to see the message behind the graphic. In this title, ingenious and eye-catching advertisement works stringently selected are included. They may make the designers think twice and inspire them with their creativity and clever ideas of presenting particular products or service.

Look at Me: Eye-catching and Creative Advertising Designs
思わず目を引く広告デザイン

Pages: 256 Pages (Full Color) ¥3,800 + Tax ISBN : 978-4-7562-4568-7

4568

じっくり見たくなる！ 記憶に残る！ 効果の高い広告が集結。広告はまず、消費者の目に止まることが重要です。自社商品の紹介や、イベント告知の広告をうつならば、まずは消費者に見て興味を持ってもらい、その上で記憶に強く印象付けなければなりません。本書では、見る人の心をグッとつかむような広告作品を一同に紹介します。

The most important aspect for advertisement is to capture audience attention. When you are trying to promote a product or service behind the advertisement, the first thing you should do with the design is to be creative to attract the viewer, and then to interest them enough to see the message behind the graphic. In this title, ingenious and eye-catching advertisement works stringently selected are included. They may make the designers think twice and inspire them with their creativity and clever ideas of presenting particular products or service.

Character Design Now
キャラクターでもっと伝わるデザイン

Pages: 224 (Full Color) ¥5,800 + Tax ISBN : 978-4-7562-4522-9

4522

キャラクターを使うことで成功したデザイン特集。本書では、キャタクターを使い、訴求力を高めることに成功している広告・宣伝ツール・パッケージのデザインを多数紹介します。キャラクターをデザインに活かし、より魅力的に、より目をひくグラフィックにするにはどうしたらいいのか?！ がわかる1冊です。

Characters in design can appeal to a mass audience effectively and can convey an essential message of products or services. The marketing trend of utilizing characters is no more in fashion, but a standard in the world of graphic design. PIE International published Character Design Today in 2008 for showcasing various examples of effective designs using characters. Now in 2014, we present more practical ideas for designers how to make the most of a character's power. This time, not the characters, but the graphics such as advertisement, products, tools or whatever the characters are effectively arranged, are mainly featured. It would be a great reference for designers and planners.

Typography by Design Maestros
匠の文字とデザイン

Pages: 160 (Full Color) ¥3,800 + Tax ISBN : 978-4-7562-4540-3

4540

広告・パンフレット・エディトリアル・パッケージの文字とデザイン特集。文字はデザインにおいて欠かせない要素のひとつです。本書では文字の匠（デザイナー）への取材を行い、作品の要となる文字デザインのコツを探ります。さらにポイントとなる箇所を原寸大で掲載、フォントや級数・字詰め情報などの詳細データとともに解説します。

Typography in graphic design can strongly affect how people react to a document. This title is a collection of cool Japanese typographic designs by selected professional graphic designers. Readers can learn choice of typefaces, kerning, leading, bullets and formatting from the works, all of which are critical for graphic design. Very useful book for not only entry-level designers and students but also for mid-career designers to take a look back over their designs.

Designs that Grab Women's Attention
女性の心をつかむデザイン

Pages: 224 ページ (Full Color) ¥5,800 + Tax ISBN : 978-4-7562-4406-2

4406

女子会・女子旅・森ガール・山ガール・カメラ女子……など、昨今では女性をターゲットにした市場が非常に目立ちます。すなわち、「女性の心をつかむ」ことで、一大ブームを巻き起こしたり、商品の売り上げを伸ばしたりと、大きなビジネスチャンスをつかむことも可能なのです。そこで本書では、女性をターゲットにした優れた広告作品に注目しました。作品に対する女性の反響・効果なども読み解ける1冊です。

These days in Japan, the market specifically targeting women/girls is expanding. If you can possibly grab women's attention, seizing big business opportunities such as creating a boom or increasing sales of products will be definitely possible. This book features examples of outstanding advertising designs that targets women/girls and successfully grabs their interests. From the included works, you can get ideas of what women like, adore, and what they are moved by, and effectively apply them in your advertisement strategies or designs.

Eye-Catching Composition and Layout
一目で伝わる構図とレイアウト

Pages: 336 (304 in color) ¥3,800 + Tax ISBN : 978-4-7562-4476-5

4476

すぐれた「1枚もの」チラシのレイアウト実例集！ カクハン写真をメインで使う、キリヌキ写真を複数使う、イラストを使う、素材を使わず文字で見せる…。さまざまな制作条件に合わせて参考にできる便利な素材別実例集です！

Good page layout or page composition comes from the process of placing and arranging and rearranging text and graphics on the page. A good composition is one that is not only pleasing to look at but also effectively conveys the message of the text and graphics to the intended audience. This title is a collection of stunning flyer designs that will be great examples for designers to create a successful layout design. The contents are classified by materials so that designers can arrange the graphics accommodating to individual needs and conditions.

Graphic Explanation in Design
図で伝えるデザイン

Pages: 224 ページ (Full Color) ¥5,800 + Tax ISBN : 978-4-7562-4300-3

4300

広告制作において、デザイナーは商品やサービスの特徴や仕組を、魅力的かつ、的確にターゲットに伝えるデザインが求められます。そんな時、有効なのが図やイラストを活用して説明することです。本書は、商品カタログ・取扱い説明書・サービス案内パンフレット・観光案内マップ…etc. 身近な媒体から、わかりやすくデザイン性の高い説明図（仕組み・やり方・マップetc.）の数々を細部までクローズアップして紹介します。

In order to explain the characteristics and the structure of the products or service, "graphic explanation" is a very effective way. This book shows excellent designed samples of "graphic explanation" which organize the information and succeeded to make them easily understood. Many kinds of well-designed and functional graphic explanation of various advertisements are introduced categorized by type of the graphics.

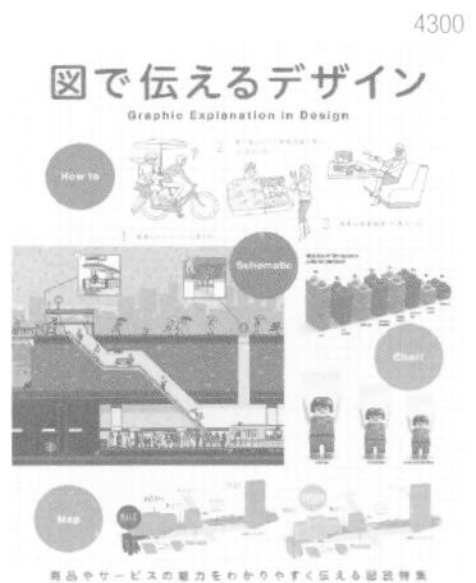

Successful Designs with Effective Naming

ネーミングをいかしたヒットデザイン

Pages: 224 ページ (Full Color) ¥5,800 + Tax ISBN : 978-4-7562-4396-6

4396

考えぬかれたネーミングを効果的にデザインに落とし込むことがヒット商品につながる！ 本書ではネーミングを活かしたデザインで成功した商品・イベント・PR誌などを日本各地から幅広く集め紹介します。ネーミングとデザインの相乗効果を改めて感じることができる1冊です。

Hot-selling product always has an appealing trade name and design that uses the name effectively. This title collects successful products that reflects their naming into their designs capably. The contents are classified by type of the products. It would be a great idea source for product planners and designers , and good reference to understand synergy between design and naming.

Local Packaging Now: Best Package Design

地域発 ヒット商品のデザイン

Pages: 384 (320 pages in Color) ¥3,800 + Tax ISBN : 978-4-7562-4449-9

4449

消費者の心をつかむ、おみやげもの・特産物が大集合！ 日本全国、その土地のおみやげものや特産物は数多く存在します。たくさんの商品の中から、観光客をはじめとした消費者に手にとってもらえる商品は何が違うのか？！ 本書では、パッケージのデザイン・ネーミング・商品コンセプトなどクリエイティブの力で売上げを伸ばし、話題となっている全国のおみやげものや特産物を紹介します。

There are tons of souvenirs and special local products in each region throughout Japan. Recently their package designs are remarkably improving to be selected from those diverse choices.This book introduces highly-selected package designs of local souvenirs and products that have been a big hit. It will be a good reference for not only designers but also for people in tourism or local industries who are looking for new inspiration. Japanese only and mostly visual.

PARIS: Beautiful Designs on the Street Corner

デザインが素敵な、パリのショップ

Pages: 160 Pages (Full Color) ¥3,800 + Tax ISBN : 978-4-7562-4554-0

4554

一度は行ってみたい、デザインでめぐるパリのショップ案内。こだわりのショコラティエや先端を行くファッションブランドまで、食やモードの流行が生まれるパリ。パリのショップは、インテリアやグラフィックなどトータルな世界観でブランドの魅力を作り出しています。本書では、フード・リビング・ファッション、そしてサービス業まで、幅広いジャンルのショップから、デザインが素敵なお店を厳選して紹介します。これからお店をオープンしたいと思っているオーナーさんや、ショップデザインに関わる方々に参考にしていただける書籍です。

This is the brand-new title which follows PIE's successful projects of 'Shop Image Graphics' series. Every 2 or 4 pages are consist of Shop Data and plenty of photos introducing Shop Interior, Display Ideas, Brand Logos and Package Designs. This title can be a good reference book for graphic designers and shop owners to know the trends in Paris. And in addition, those who plan to visit Paris and look for something special may also like this title.

デリシャスブランディング

Pages: 304 (Full Color) ¥3,900 + Tax ISBN : 978-4-7562-4460-4

4460

世界の飲食店のショップイメージとグラフィックツール。「おいしいもの」×「ブランディング」で成功したレストラン・カフェなどを、世界中から100点以上厳選。グラフィックツールやロゴだけでなく、ショップイメージや店内の図面も掲載、さまざまな角度から飲食店のデザインを紹介します。お客さんの胃袋も心も両方つかむ、優れた例が満載です。

※ This title is available only in Japan.

コミックス フィーバー !!

Pages: 364 Pages (304×4C, 60×2C) ¥3,600 + Tax ISBN : 978-4-7562-4596-0

4596

コミック・アニメ・漫画をモチーフにしたデザイン特集！ コミック・アニメ・漫画の要素を取り入れたり、そのキャラクター自体をモチーフに使ったデザインやアート作品は、世界的なトレンドのひとつ。本書では、グラフィック・デザインを中心に、ファッションやプロダクトなど様々な分野で、コミック要素を効かせた作品の数々をご紹介します。

※ This title is available only in Japan.

デザイナーのための著作権ガイド

Pages: 208 Pages (128 in Color) ¥5,800 + Tax ISBN : 978-4-7562-4040-8

1104

例えばQ. 竹久夢二のイラストを広告のビジュアルとして使ってもいいのか？ Q. 自分で撮影した六本木ヒルズの外観写真を雑誌広告として許可なく使えるのか？→答えはすべてYESです。※但し、個別のケースによっては、制限や注意事項があります。詳しくは本書籍をご覧ください。クリエイティブな仕事に携わる人が、知っておけば必ず役に立ち、知らなかったために損をする著作権をはじめとした法律や決まりごとがQ&Aですっきりわかります。

※ This title is available only in Japan.

カタログ・新刊のご案内について

総合カタログ、新刊案内をご希望の方は、下記パイ インターナショナルへご連絡下さい。

パイ インターナショナル
TEL: 03-3944-3981 FAX: 03-5395-4830
sales@pie.co.jp

CATALOGS and INFORMATION ON NEW PUBLICATIONS

If you would like to receive a free copy of our general catalog or details of our new publications, please contact PIE International Inc.

PIE International Inc.
FAX +81-3-5395-4830
sales@pie.co.jp